C'EST ARRIVÉ UN JOUR

Tome II

PIERRE BELLEMARE

présente

C'est arrivé un jour

Tome II

TEXTES DE
MARIE-THÉRÈSE CUNY
JEAN-PIERRE CUNY
JEAN-PAUL ROULAND

ÉDITION N° 1

1

LA GIFLE[1]

PHILIPPE vient de prendre une claque qui résonne
dans tout son crâne. Ses oreilles ont rougi d'un
coup, il a chaud, la rage le fait trembler des pieds
à la tête, et il affronte sa mère du haut de ses
douze ans. Ah! c'est comme ça! d'accord il ne s'en
mêlera plus, plus jamais. Après tout qu'ils se
débrouillent avec leurs bagarres, leurs disputes,
leur rancœur, qu'ils divorcent si ça leur fait plaisir, il s'en fiche, Philippe, il s'en fiche complètement, et qu'ils ne comptent pas sur lui pour pleurer.

C'est dur pourtant de ne pas pleurer, surtout
après une gifle pareille. Une espèce de boule lui
serre la gorge, comme un morceau de pomme
impossible à avaler, quelque chose comme des
milliers d'épingles lui pique les yeux. La boule
grossit, enfle démesurément. Philippe résiste...

1. Afin de préserver l'anonymat de certains héros de ces histoires, les
auteurs ont parfois changé les dates, les noms de lieux ou de personnes.
(Note des Auteurs.)

5

résiste... il serre les poings au fond de ses poches, ravale sa salive, une fois... dix fois.

Il ne se doute pas que sa mère est aussi malheureuse que lui. Il ne sait pas que la même boule serre sa gorge, que la même envie de pleurer lui brûle les yeux, et qu'il s'en faudrait de si peu pour que de gros sanglots libèrent la mère et le fils.

Mais depuis quelque temps, ils n'arrivent plus à se parler. Les portes claquent, les disputes éclatent, les silences pèsent. M. et Mme Routier ne s'entendent plus.

Après dix ans de mariage et de ronron confortable, c'est la guerre. Tout a commencé avant les vacances. Son père rentrait tard. Son père n'était pas là le dimanche. Il entendait sa mère pleurer dans la cuisine. Il les entendait se disputer tous les deux dans leur chambre. Des mots, des injures épouvantables. Et puis, surtout, on n'arrêtait pas de l'envoyer quelque part :

« Va faire tes devoirs !

— Va jouer dehors...

— Va dans ta chambre... Va, va, va... »

Philippe a l'impression que depuis des mois il ferait mieux d'être ailleurs.

Que s'est-il passé ce matin ? Une chose bête.

C'est dimanche, Philippe traînait dans la cuisine en mâchonnant une tartine de beurre, et sa mère le houspillait plus nerveusement que d'habitude :

« Dépêche-toi ! Va faire ta toilette ! Tu m'agaces ! Tu es toujours dans mes jambes ! »

Et, finalement, l'éternel argument des mères mécontentes, le fameux :

« Tu es bien comme ton père ! »

C'est ça que Philippe n'a pas supporté. Premièrement, parce qu'il lui semble que son père n'est pas actuellement le bon modèle. Deuxièmement, parce que les enfants ressentent toujours cette expression comme un blâme et une injustice en même temps.

Alors Philippe s'est dressé sur ses ergots, et il a répondu méchamment :

« Si je t'embête, je peux partir moi aussi, comme papa ! »

Et la gifle lui est arrivée en pleine figure, un quart de seconde plus tard.

C'est bête.

Des parents qui parlent de divorce, un gamin qui ne comprend rien, sinon qu'il souffre, c'est bête, c'est classique, et cela tourne quelquefois au drame.

Car elle est grave cette gifle. En quelque sorte, c'est la première gifle de Philippe.

Mme Routier avait bien de temps en temps la main leste, mais ces coups de patte d'une mère à son fils ne ressemblaient pas à cette gifle-là. Cette fois c'était un coup, une violence, une méchanceté. Excusable peut-être, mais pas forcément pour un enfant hypersensible. Philippe se sauve, claque la porte de sa chambre, se jette sur son lit et trépigne comme un diable. Il voudrait bien pleurer à présent, mais il ne peut plus.

Pour tout arranger, il entend les éclats d'une nouvelle dispute à son sujet :

« Cet enfant devient épouvantable ! c'est de ta faute !

— Non, c'est de la tienne! d'ailleurs tu ne sais pas l'élever, il vaudrait mieux qu'il aille en pension!

— C'est ça... Ça t'arrangerait la pension... »

L'oreille collée à la porte de sa chambre, Philippe se dit :

« Personne ne m'aime, je suis tout seul, ils ne veulent plus de moi, je vais partir! » Et aussitôt pensé, aussitôt fait. Le gamin enfile un pantalon et un pull-over. Il prend dans sa tirelire un billet de 10 francs et quelques pièces, arrache une page d'un cahier d'écolier, et écrit à l'encre rouge :

« Ne cherchez pas à me retrouver, je disparais pour toujours... le bonheur n'est pas pour moi... Philippe Routier. »

Etrange littérature, émaillée de fautes d'orthographe. Philippe a écrit : je disparet... et bonneurre avec deux N, deux R et un E. Mais il a signé de son nom complet, comme un homme.

Cela fait, il se faufile dans le couloir, referme doucement la porte d'entrée, traverse le jardin, referme la grille et disparaît.

Il est dix heures du matin, le 23 novembre 1934, quelque part dans une petite ville de l'Est de la France. C'est un dimanche brumeux, froid, lugubre. Vers midi, Mme Routier, affolée, prévient la police et la gendarmerie.

A dix-sept heures, on a fouillé toute la ville, elle n'est pas si grande. Personne n'a vu Philippe, ni même un petit garçon correspondant à son signalement, et la nuit tombe sur l'angoisse de M. et Mme Routier.

Que veulent dire les mots « je disparais pour

toujours »... simple formule emphatique, lue quelque part, ou menace de suicide?

A huit heures du soir, en sifflant le chien qui passe habituellement ses journées en liberté, M. Routier n'obtient pas de réponse. Le chien lui aussi a disparu...

Philippe l'a-t-il emmené? Le chien l'a-t-il suivi? Coïncidence ou non? M. et Mme Routier ne sont pas au bout de leur cauchemar, qui va durer sept jours et huit nuits.

Le troisième jour, Mme Routier est prise en charge par son médecin, qui décide de la faire dormir. La pauvre femme a craqué.

M. Routier, lui, passe ses journées en battues.

On a interrogé les camarades de Philippe, sondé la rivière et quadrillé la forêt, sans résultat.

Philippe est introuvable, et le chien aussi.

Or, Philippe n'est pas parti avec le chien. Philippe est parti tout seul, et ce que personne ne sait, c'est que le chien l'a suivi de sa propre initiative.

Lorsque Philippe a franchi le portail du petit jardin, le chien, qui baguenaudait tranquillement dans la rue, lui a emboîté le pas. Le gosse s'en est aperçu au bout de cinq cents mètres et a tenté de le chasser. Titi — c'est le nom du roquet — une sorte de mystère sur le plan génétique, n'a jamais été considéré comme un chien exceptionnel. Ni fait, ni à faire, guère plus gros qu'un lièvre, poil indéfinissable, et museau de rat, Titi en effet n'arbore pas de qualités remarquées, il est simplement têtu! Et en donne ce jour-là un bel exemple.

Philippe le chasse; Titi fait cent mètres en

arrière et revient. Philippe court; Titi court. Philippe se fâche; Titi rabat ce qui lui sert d'oreilles et de queue et attend.

A la sortie de la ville, Philippe prend un chemin vicinal, parallèle à la grande route, et Titi, fou de joie d'aborder la campagne, gambade autour de lui. Alors, de guerre lasse, Philippe accepte son compagnon de route, et de chemin en chemin, l'enfant et le chien se retrouvent le soir même à plus de vingt kilomètres de la ville.

Philippe n'a pas mangé depuis le matin. Il a froid et une drôle de fièvre lui coupe les jambes.

Il se sent mal. L'envie lui prend de rebrousser chemin, mais la nuit lui fait trop peur, et il ne sait plus où il est.

D'ailleurs, où il est, il n'y a ni ferme, ni habitants, rien qu'une espèce de cabane de cantonnier, de 1 mètre sur 2, au sol de terre battue, qui n'a pas dû servir depuis quelque temps, et où Philippe se réfugie.

Il a mal à la tête, mal à la gorge; il est épuisé par vingt kilomètres de marche ininterrompue.

A douze ans, on a de petites jambes et Philippe n'est pas très costaud, il est même de santé fragile.

Terré dans la cabane, le chien contre lui, il s'endort d'un drôle de sommeil, peuplé de cauchemars. Le froid glacial de novembre le terrasse. A l'aube, Philippe est inconscient. Il délire avec plus de 40 de fièvre, et une congestion pulmonaire. Titi le chien ne le quitte pas.

Les patrouilles de gendarmes passent à moins de 1 kilomètre de leur refuge sans s'en douter.

Le deuxième jour, Philippe est dans le coma. Titi est couché près de lui. Le troisième jour, Philippe est toujours dans le coma, et Titi est toujours là.

Le quatrième jour, Philippe a une lueur de lucidité, il tente de se traîner au-dehors sans y parvenir. Titi est toujours là.

Le cinquième jour, Philippe délire à nouveau. Il a cru rêver en voyant Titi le chien se battre avec un rat, mais il n'a pas rêvé et le rat l'a mordu au bras droit.

Le sixième jour, Philippe n'arrive plus à respirer, il étouffe, il a les reins bloqués, la fièvre n'a pas baissé, et il souffre avec une telle intensité qu'il ne sait même plus où il est, mais Titi le chien n'est plus là.

Le septième jour, Titi, maigre, efflanqué, affamé, gratte au portail de la maison des Routier. Il est 7 heures du matin.

A 7 heures 10, Titi, cajolé, dévore tout ce que lui donne M. Routier, et à 7 heures 20, Titi s'endort sur le canapé du salon, devant M. Routier désespéré, qui prévient les gendarmes, sûr que Philippe est mort.

A 8 heures 15, le brigadier-chef attrape Titi par la peau du cou, le jette à la rue, et tente l'impossible. Ce chien a l'air idiot, mais on ne sait jamais :

« Va chercher Philippe, va ! »

A 8 h 20, Titi regarde le brigadier, et le brigadier regarde Titi : suspense.

A 8 heures 22, Titi trottine, le nez au ras du sol, à 6 kilomètres/heure. Il est midi quarante lorsque

Titi, le brigadier et son escouade arrivent à la cabane où Philippe est aux portes de la mort.

Il luttera encore dix jours à l'hôpital, avant de s'en sortir définitivement.

On a considéré Titi comme un animal exceptionnel, ce qui n'était pas le cas, et les journaux lui ont consacré une belle photo : Oreille en coin, museau têtu, œil oblique, on se demande vraiment à quoi il pense ce corniaud-là.

2

TU T'APPELLERAS JOSEPH

L'HOMME est allongé au pied d'un arbre sec et ressemble à la terre à laquelle il est en train de retourner. C'est un lieu étrange, isolé, aride, comme une autre planète. L'homme est petit, maigre et noueux. Son corps donne à la fois cette impression de force et de débilité particulière aux indigènes d'Australie : rabougri, tordu, mais vigoureux. Ces hommes ressemblent toujours à de jeunes vieillards.

Celui-là est allongé au pied d'un arbre mort, à l'ombre, et l'ombre est en train furtivement de l'abandonner. C'est une fin d'après-midi, au nord de l'Australie, dans cette terre d'Arnhem, entre désert et mer de Timor, où sont parqués en liberté ceux que l'on appelle les « aborigènes » et en abrégé ethnologique : les « abos ». Cela a quelque chose d'inutilement méprisant mais il faut bien, par le vocabulaire, classer dans l'esprit des scientifiques les membres de ces tribus incertaines qui s'obstinent à errer à tâtons dans l'interminable crépuscule de la préhistoire. Décimés, refoulés par les Blancs, ils ne sont plus guère que 40 000 en Australie, dans des réserves semi-désertiques. 40 000 hommes que le monde des hommes (le nôtre) ne concerne même pas.

Ainsi que le docteur Wayming, officier des Affaires indigènes, le dit souvent au pasteur Morrisson :

« Ils ne sont pas plus malheureux que nous, ces « abos » ! Ils ne savent même pas le cadeau que nous leur avons fait ! Nous leur avons laissé le bout du monde, pour jouer et continuer à vivre leur Néanderthal : « Rends-moi mon os, tu m'as « pris mon boomerang... » Le tout est qu'ils ne se fassent pas trop de mal. Nous sommes là pour ça, voyez-vous, révérend, nous sommes les surveillants de leur récréation de fin du monde. »

Ce à quoi le pasteur répond toujours qu'il n'est pas d'accord ! Le missionnaire et le médecin de la réserve représentent pour lui autre chose que les « pions » d'une récréation néolithique ! Ils sont les frères de ces ancêtres infantiles, qui sont comme les fougères de la préhistoire ! Une tentative de l'homme sans lendemain apparent ! Mais une tentative de l'homme, émouvante et précieuse, qui nous concerne tous. Il ne faut pas seulement les surveiller, ces « gens-là », il faut les aider, si l'on peut, et chrétiennement, c'est un devoir.

Les deux civilisés ont arrêté leur jeep et se penchent sur l'homme nu et rabougri, semblable au tronc épineux qui le protège dérisoirement du soleil. Le pasteur cherche le regard de ce frère du fond des âges, enfoui sous les arcades sourcilières proéminentes. Malgré le nez aplati, la bouche lippue et les dents de carnassier, du visage se dégage une impression qui le touche aussitôt. Comme un air de résignation ou de tristesse profonde. Il n'y a rien de plus triste, parfois, que le regard d'un singe. Cet homme simiesque, allongé, regarde distraitement les deux Blancs penchés sur lui. Il a l'air de dire tristement :

« Que me voulez-vous ? Désolé, je n'ai pas le temps. Je suis occupé à mourir... »

Mais il en a l'air seulement, car il ne parle pas.

Le médecin constate aussitôt que le pouls de l'homme est bizarre : il n'est pas « filé », il n'est pas irrégulier non plus, il est incroyablement ralenti : comme si l'homme, par cette chaleur torride, était en hibernation ! Pourtant il n'a aucune blessure apparente. Mais il doit être malade, car il respire à peine, comme si son torse étroit était bloqué. Quelque chose aussi est bizarre. A côté de lui devraient se trouver son petit arc, ses flèches et son boomerang, car les hommes valides ne vivent que de chasse et de cueillette. Apparemment, celui-ci n'a pas l'air vieux ; pourtant il a dû être abandonné là par les siens et dépouillé de ses armes.

Le pasteur, qui connaît le dialecte des aborigènes, essaie de le faire parler. Mais l'homme se contente de répéter, de murmurer cette phrase étrange :

« On m'a chanté la chanson " mauvaise "... on m'a chanté la chanson " mauvaise "... »

C'est tout ce qu'il arrive à dire.

Après des heures de jeep, enfin, ses deux sauveteurs le déposent à l'hôpital de Darwin. Là, le docteur l'examine à fond, sans rien trouver d'autre que ce pouls ralenti et cette immense faiblesse. Peut-être sa tribu l'a-t-elle empoisonné ? Le pasteur, qui a son idée, poursuit son interrogatoire :

« Qu'est-ce qu'on t'a fait ?... N'aie pas peur, raconte-moi. »

Alors, enfin, dans sa langue étrange et rugueuse, voici ce que raconte cet homme préhistorique : il s'appelle Wumulu. Il s'appelait Wumulu. Car d'après lui on lui a pris son nom, il n'en a plus. Il ne sait pas l'âge qu'il a, mais il a épousé récemment, selon le rite ancestral, une jeune femme de sa tribu. Et il s'est retrouvé comme tout le monde, avec une belle-mère. Il y a des belles-mères aborigènes qui peuvent éprouver pour leur gendre des aversions préhistoriques. C'est dire que le problème n'est pas neuf. Celle de Wumulu n'était pas d'accord pour qu'il lui prenne sa fille. Mais Wumulu l'a mise devant le fait accompli, sa femme s'étant trouvée enceinte. La tribu a prononcé le mariage, car il fallait que l'enfant ait le nom de son père. Wumulu, l'âme en paix, après la cérémonie, est donc reparti chasser le kangourou pour sa femme et son fils nouveau-né. Mais pendant ce temps la belle-mère, qui n'avait pas désarmé, est allée « monter la tête » aux sorciers, prétextant que l'enfant n'était pas le sien mais celui d'un autre jeune chasseur, celui qu'elle voulait pour sa fille. En conséquence, Wumulu n'avait pas le droit de donner son nom à l'enfant, il a violé la loi de la tribu, il faut le condamner.

Elle a tant et si bien fait, la belle-mère, que le sorcier s'est trouvé convaincu, et la tribu n'avait plus qu'à suivre. Le sorcier, à la fois législateur, prêtre et juge, a donc prononcé contre Wumulu la condamnation majeure : celle qui consiste à retirer son nom à un individu. Ce qui revient à le condamner à mort. D'abord, un matin, Wumulu n'a plus retrouvé ni son arc ni son boomerang. Le sorcier lui a dit :

« Tes armes sont enterrées là au pied de cet arbre. »

Cela signifiait que la tribu désirait, désormais, qu'il aille les rejoindre. Ensuite, pour faire bonne mesure et pour que le rite soit complet, le sorcier lui a chanté la « mauvaise chanson » : la chanson du serpent de l'éternité, qui à partir du dernier couplet doit resserrer lentement ses anneaux sur le torse du condamné et en chasser l'air vital.

Enfin, le sorcier a dit à Wumulu :

« Désormais, la tribu te reprend ton nom. Elle en a besoin pour le donner à celui qui te remplacera auprès de ta femme et de l'enfant. »

Etrange coutume sociale, qui élimine l'individu pour préserver le nom, mais guère éloignée dans l'esprit, à vrai dire, de nos mœurs aristocratiques et bourgeoises du XIXe siècle.

Mais le plus étrange et le plus terrible, c'est que parmi ces tribus aborigènes la soumission à la loi commune est telle que la suggestion suffit à tuer :

« Nous avons enterré tes armes, le serpent de

l'éternité va t'étouffer, nous te retirons ton nom... »

C'est suffisant pour que l'individu commence vraiment à mourir. Il se laisse mourir, parce qu'il y croit. Et il meurt vraiment. Voilà pourquoi Wumulu s'est allongé au pied de l'arbre sec où sont enterrées ses armes. Un arbre mort, choisi pour bien lui signifier l'ordre qui lui était donné : s'y laisser mourir, afin de libérer son nom.

Le médecin et le pasteur Morrisson ne sont pas surpris par ce récit. La suggestion chez les aborigènes — et son efficacité — est un fait reconnu. Et le docteur Wayming en donne au pasteur l'explication moderne, celle de l'influence du psychisme sur le corps. En l'occurrence, du psychisme collectif sur le corps d'un individu intimement, profondément et aveuglément soumis aux lois du groupe. En quelque sorte, Wumulu se suicide « psychosomatiquement ».

En lui chantant la mauvaise chanson, en lui disant que la tribu lui reprend son nom, le sorcier lui a communiqué ce que nous appelons « une dépression », la vraie. Celle qui lui a fait perdre son identité entre autres, et le désir de la vie. Wumulu meurt de ne plus pouvoir vivre, car dans son milieu on a la foi qui tue.

Mais le pasteur réplique au médecin :

« Vous oubliez une chose! Votre théorie est valable dans les deux sens! Il n'y a aussi que la foi qui sauve, dit-on! Voulez-vous m'aider à sauver Wumulu? C'est simple, il faut remplacer la magie par une autre magie. Nous allons le désenvoûter! »

Le pasteur Morrisson et le docteur Wayming enferment Wumulu dans un poumon d'acier en lui disant qu'il s'agit d'une « boîte à vent » : une boîte en fer qui protège sa poitrine contre le serpent de l'éternité et lui permet de respirer, ce qui est d'ailleurs exact médicalement. De toute façon, le malheureux a besoin de ce poumon d'acier, car la suggestion dont il est victime est telle qu'inconsciemment il ralentit lui-même sa respiration et le rythme de son cœur.

Mais l'inconscient de Wumulu ne peut rien contre le poumon d'acier de l'hôpital de Darwin qui l'oblige à respirer ! De plus, comme Wumulu refuse de se nourrir, le médecin l'alimente par voie intraveineuse, en lui disant que le serpent de l'éternité en a horreur, car cela lui donne des convulsions. Et, peu à peu, Wumulu, étonné, reprend goût à la vie. C'est alors que le pasteur met la touche finale à l'opération en disant à Wumulu :

« Maintenant que mon collègue sorcier a découragé le serpent, je vais faire en sorte qu'il ne s'intéresse plus à toi. Je vais te redonner un nom. Ton sorcier, ta tribu t'ont pris le tien, en voici un tout neuf. Désormais, tu t'appelleras Joseph. Je te baptise au nom du Père, du Fils, du Saint-Esprit, Amen. »

Ce disant, le pasteur trace une croix avec de l'eau bénite sur le front de cet humanoïde en détresse, qui s'en trouve ressuscité. Au point que huit jours plus tard (grâce aussi aux piqûres et à la respiration artificielle) il peut tenir debout. Wumulu n'est plus Wumulu ! Il se moque bien qu'on lui ait pris son nom. Il s'appelle Joseph, et il veut retourner chez lui pour en témoigner. Il a vaincu le serpent, et le serpent peut étouffer pour l'éternité sa belle-mère, le sorcier et le rival qui s'est attribué son ancien nom! Il est donc temps de le ramener à sa tribu. D'ailleurs, les instructions ministérielles sont formelles : ne pas chercher à intégrer des aborigènes de force, les laisser vivre à leur façon, dans leur réserve. Deux semaines plus tard, après plusieurs heures de jeep, Joseph, anciennement Wumulu, est relâché dans sa tribu. Le pasteur fait un sermon de principe à ses compagnons, groupés sous un arbre autour des restes d'un kangourou. Il leur dit dans leur langue : il n'y a plus de Wumulu, je vous rends Joseph. Et puis il continue sa tournée, elle n'est jamais finie dans cette immense terre d'Arnhem, qui fait face à la Nouvelle-Guinée. Il y a d'autres tribus éparses, et parfois, pour les rejoindre, il faut un avion. Mais chacune a son territoire, et on la retrouve toujours dans certaines limites.

Moins d'un an plus tard, le médecin retrouve la tribu de l'homme qu'il a sauvé. Il le cherche des yeux, ne le reconnaît pas. Or, il a l'habitude, lui, de distinguer les uns des autres ces visages primitifs, et il n'est pas près d'oublier Joseph.

D'ailleurs, il est inexact de croire qu'ils se ressemblent tous. Le pasteur demande donc au sorcier, dans sa langue :

« Où se trouve Joseph, celui qui s'appelait Wumulu, celui dont on avait repris le nom ? Celui à qui le pasteur en avait donné un autre ?

« Où est-il, je veux le voir !... Amène-moi Joseph. »

Le sorcier le regarde de ses petits yeux enfoncés dans les orbites, le visage impassible, maquillé de terre ocre, et il lui répond :

« Joseph ? Il est là. Voilà Joseph... »

Un homme s'avance, mais ce n'est pas l'homme que le pasteur et le médecin ont sauvé ! Il était plus jeune et moins fort que celui-là. Il est impossible de les confondre ! Et le pasteur s'écrie :

« Ce n'est pas Joseph ! Où est l'homme que j'ai délivré du serpent de l'éternité ? Où est l'homme à qui j'ai donné le nom de Joseph ? Au nom de mon dieu tout-puissant qui combat les forces du mal ? Attention à toi, sorcier, c'est à mon dieu que tu mens ! »

Sans manifester la moindre expression, ce qui ferait craquer son masque de boue, le sorcier répond :

« Celui dont tu parles est mort. Le nom que tu lui as donné, nous en avions besoin pour un autre, et c'est celui-là : voici Joseph. »

Moralité ? Aucune.

3

UNE HISTOIRE D'HOMMES

Max Ader relève la tête et regarde droit dans les yeux le jeune étudiant en médecine planté devant lui. Son visage sévère ne laisse rien présager d'agréable. Il écoute :

« La réponse du professeur Vogt vient d'arriver !

— Et alors ?

— Il faut lui enlever l'œil. »

Les deux hommes savent trop bien ce que signifie cette nouvelle pour ne pas en apprécier toute la gravité. Procéder à une énucléation est une chose relativement banale. Cela se pratique dans tous les hôpitaux du monde couramment. Seulement voilà : isolés à des milliers de kilomètres de tout lieu civilisé, en plein continent antarctique, c'est une tout autre affaire. Il ne faut pas songer à évacuer le blessé, et de plus Nils Scott, l'homme qui vient d'apporter la nouvelle et qui a vingt-six ans, n'a jamais pratiqué lui-même d'opération, quelle qu'elle soit.

Depuis six mois, la mission internationale de douze hommes, dirigée par Max Ader, est installée pour deux ans au milieu des glaces et des neiges. Deux cabanes préfabriquées et quelques hangars forment le camp de base. Le travail consiste à faire des relevés de toutes sortes. L'équipe est composée de météorologues, glaciologues et géologues.

Le premier soin de Max Ader, le responsable du camp, est de demander au jeune étudiant en médecine s'il se sent capable de mener à bien une intervention de ce genre. Nils Scott répond que le professeur Vogt, d'Oslo, se propose de lui faire parvenir par radio tous les renseignements nécessaires.

De toute façon, ils n'ont pas le choix, c'est l'énucléation, ou Jacques Mauduit devient aveugle.

Max Ader laisse échapper un long soupir. Il n'avait pas besoin de cela, et maudite soit cette lanière agitée par le vent venue cingler de plein fouet l'œil droit du météorologue français. Voilà trois semaines que cet accident, banal au demeurant, est arrivé. Le blessé a fait preuve d'un courage à toute épreuve, mais l'état de son œil a empiré de jour en jour. Le professeur Vogt, d'Oslo, craint ce qu'il appelle « l'ophtalmie sympathique » qui risque d'affecter la vision de l'autre œil valide, provoquant ainsi la cécité totale.

« Qui est au courant ? demande le chef.

— Paul Lapôtre, le radio canadien et moi, c'est tout. »

Max Ader propose alors de ne rien dire à l'intéressé pour le moment et demande à l'étudiant en médecine, futur chirurgien d'occasion, le temps dont il a besoin pour se préparer.

« Pour fabriquer les instruments, entraîner l'équipe et m'exercer moi-même, il faut bien trois semaines, mais le plus tôt serait le mieux. »

Tenant compte des différents travaux à effectuer, une date précise est fixée par Max Ader.

« Le 13 juillet à treize heures, si vous n'êtes pas superstitieux ! »

L'étudiant en médecine sourit.

« Au contraire, ça va nous porter bonheur. »

Ayant reçu carte blanche, Nils Scott commence ses préparatifs dans le plus grand secret. Mais la tâche s'avère rapidement difficile, étant donné l'exiguïté des lieux et la minceur des cloisons intérieures. De plus, en dehors des prélèvements quotidiens, au-dehors, les hommes travaillent à l'intérieur des baraques, et cela pose un certain nombre de problèmes faciles à imaginer pour garder un secret aussi important. Commence alors par radio une étrange conversation entre le grand ophtalmologiste norvégien et son jeune collègue du bout du monde. Patiemment, le professeur Vogt décrit les instruments indispensables pour pratiquer l'énucléation. Sous sa dictée, chaque instrument est dessiné avec précision. Pendant plusieurs jours, à n'importe quelle heure du jour ou de la nuit, Nils Scott trace les contours et commente la forme et l'utilisation exactes de chaque instrument, à la suite de quoi il doit les faire fabriquer avec les moyens du bord.

Mis dans la confidence, le chef mécanicien passe des nuits entières à exécuter les objets demandés. Avec du fil d'acier et des manches de limes à ongles, il fabrique un jeu de minuscules crochets destinés à tirer sur les muscles de l'œil. Dans une feuille d'aluminium, il confectionne une sorte de pince légère qui devra servir à écarter les paupières. Enfin, il s'attaque à la table d'opération qui doit être munie d'un accoudoir pour assurer au chirurgien une parfaite immobilité de l'avant-bras en laissant seule la main libre. Pendant ce temps, le Canadien Paul Lapôtre fabrique un masque à oxygène, tandis que le glaciologue suédois, Tor, s'attelle à la machine à coudre pour confectionner, dans des sacs de couchage, des calottes, masques et tabliers pour l'équipe d'opération. Cinq hommes sont choisis pour des rôles extrêmement précis. Le photographe allemand Karl Schumann sera l'assistant. Le glaciologue suédois Tor sera l'anesthésiste. Le radio canadien Paul Lapôtre sera chargé de passer les instruments. Le géologue américain Schaeffer surveillera la pression artérielle; quant au chef de l'expédition, l'Anglais Max Ader, il prendra le pouls et tiendra le journal de l'opération.

C'est ainsi que, dans le plus grand secret, tous ces hommes venus de l'autre bout du monde vont s'entraîner pour sauver la vue d'un de leurs camarades. Après de longues conférences avec le jeune « patron » qui va opérer pour la première fois de sa vie, ils répètent cent fois les mêmes gestes, refont inlassablement le même mouvement au millimètre près. De son côté, Nils Scott s'entraîne, sur les conseils du professeur norvégien : il exerce l'agilité de ses doigts. En attachant un fil à son petit doigt, il doit faire des nœuds en se servant uniquement du pouce et de l'index de la même main.

Deux jours avant la date prévue, les six hommes font une répétition générale. Malgré l'extrême discrétion dont ils ont fait preuve, la nouvelle a fini par se répandre, et dans la mission tout le monde est au courant, sauf l'intéressé lui-même. Mettant les attentions particulières dont il est l'objet sur le compte de sa blessure à l'œil, Jacques Mauduit ne s'est pas rendu compte qu'elles étaient destinées à l'éloigner des lieux où l'équipe « répétait ».

Le 12 juillet, après dîner, Max Ader, le chef de la mission, fait venir le blessé dans son minuscule bureau, en compagnie du médecin, et lui annonce la nouvelle. A la suite de quoi il passe la parole à Nils Scott, qui lui explique en détail les conversations par radio avec le professeur norvégien et leur travail de répétition collective. Malgré son extrême pâleur, signe d'une émotion intense, Jacques Mauduit trouve la force de plaisanter :

« Tâche de ne pas te tromper d'œil », dit-il à Nils.

Le lendemain à midi, les six hommes se livrent à une ultime répétition générale. Le réfectoire vidé de ses meubles est lavé à l'eau javellisée. Au plafond, au-dessus de la table d'opération, Karl Schumann, le photographe allemand, a installé des lampes photographiques de grande puissance. Une seconde série d'ampoules de secours a été branchée sur des batteries, dans le cas où le groupe aurait une défaillance. Tout a été prévu, répété, calculé.

A treize heures, le Français fait son entrée dans la salle d'opération. A la vue de ses camarades, vêtus de blanc, masqués et gantés, Jacques Mauduit, pour dissimuler son anxiété, trouve la force de plaisanter.

« Attention, les gars, vous allez me faire peur... »

On rit, et cela détend un peu l'atmosphère. Puis le patient s'allonge sur la table. Tor, le glaciologue promu anesthésiste, fait la piqûre. Quelques instants plus tard, Jacques Mauduit a perdu conscience, et l'opération commence. Avec un sérieux et une concentration exemplaires, les six hommes, conscients de l'importance de leur mission, vont suivre et assister pendant deux heures quarante le jeune étudiant en médecine qui pratique l'énucléation pour la première fois de sa vie. Pendant deux heures quarante, suant à grosses gouttes sous leur masque, ces jeunes hommes, rompus aux exercices physiques les plus durs, demeurent immobiles, sans prononcer une seule parole inutile. A un moment, le pouls du patient s'accélère de manière inquiétante. Une piqûre administrée par le glaciologue le fait revenir à la normale. Ce n'est que lorsque Nils Scott aura fait son ultime pansement et prononcé les mots « c'est terminé » que ces grands gaillards, habitués à parcourir les glaciers pendant des heures, s'apercevront qu'ils sont morts de fatigue.

Et l'attente commence. Le professeur Vogt

d'Oslo, a annoncé que le résultat de l'opération ne serait connu que dans sept semaines environ. Petit à petit, Jacques Mauduit, qui a parfaitement supporté l'épreuve, reprend son travail, et deux mois plus tard Nils Scott peut envoyer un message à Oslo :

« Opération réussie. Au nom de tous, merci. »

Mais ce n'est réellement que trois mois après que toute l'équipe pourra savourer pleinement sa victoire. Ce jour-là, comme prévu, le bateau ravitailleur parvient jusqu'à la mission. Après avoir débarqué les caisses et les containers de toutes sortes, le commandant remet à Nils Scott un petit paquet. Ce qu'il a fait parvenir en secret, c'est une série d'yeux artificiels pour permettre de choisir celui qui sera assorti parfaitement à l'œil valide du météorologue. Une petite incision, et il est mis en place. Alors seulement l'étudiant en médecine peut dire à son équipe qu'ils ont pleinement rempli leur tâche.

Lorsque l'œil valide de Jacques Mauduit tourne d'un côté ou de l'autre, l'œil artificiel suit le même mouvement. Faiblement, mais il bouge. Ce que peu de spécialistes au monde parviennent à faire, des amateurs l'ont réussi.

Lors de l'intervention, sur les conseils du grand chirurgien norvégien, Nils Scott a suturé les muscles des deux yeux les uns avec les autres dans le bon ordre, formant ainsi une sorte de bouquet qui, par friction, oblige l'œil artificiel à se déplacer en même temps que l'œil valide. Le résultat est fantastique, étant donné les circonstances improvisées de l'opération...

Et voici comment, à l'autre bout de la planète, un Norvégien, plus un Anglais, plus un Canadien, plus un Allemand, plus un Suédois, plus un Américain ont réussi parfaitement une opération destinée à sauver un Français de la pire des infirmités. Illustration parfaite du célèbre poème *Si tous les gars*...

Conte héroïque ? Non. Histoire d'hommes, tout simplement.

4

UN SPECTACLE DANS LA VILLE

RICHARD REINEMANN est un jeune homme sur un trottoir. L'un des 130 000 habitants de la ville d'Albany, capitale de l'Etat de New York, à la date du 10 avril 1964, et il est 9 heures du soir.

Si l'on interviewait Richard Reinemann, là sur ce trottoir, à cette heure-là, il dirait peut-être :

« Excusez-moi, je n'ai rien à dire, je dois monter sur la terrasse de cet hôtel au 12ᵉ étage et sauter dans le vide. »

Mais, bien entendu, personne ne songe à l'interviewer. Les gens passent, ils vont à leurs affaires, ils rentrent chez eux. Ils passent et ils vivent.

Un homme qui veut sauter d'un 12ᵉ étage ne le porte pas sur son visage d'une manière évidente. Des yeux un peu fixes de désespoir, un menton qui tremble, le teint pâle, et c'est tout. Rien qu'une foule remarque. Richard Reinemann franchit les portes de l'hôtel du Capitole. Un bel hôtel de luxe aux lumières tamisées, aux salons de velours et au liftier à courbettes :

« Quel étage, monsieur ? 12e... je vous prie... »

Le 12e étage de l'hôtel du Capitole n'est pas un promontoire à suicide. Bar feutré, cocktails glacés, moquette silencieuse et terrasse au clair de lune.

Richard contemple la nuit sur la terrasse. Une belle nuit claire. Il s'approche de la balustrade.

Il y a là, courant tout le long, des barrières métalliques, un rang de plantes vertes, puis un rang de néons où scintillent les publicités et, juste devant les néons, une minuscule corniche de 15 centimètres de large au-dessus du vide. 15 centimètres, c'est la longueur d'une main de femme. Il faut 25 centimètres pour un pied d'homme. Les pieds de Richard Reinemann dépassent donc de 10 centimètres. Sur cette corniche, et pour garder son équilibre, il s'agrippe d'une main à la tige métallique d'une lettre de néon. Il est exactement sous le « T » de CAPITOLE, et il regarde le petit monde des voitures et des passants circuler tout en bas.

Il est 9 heures et 7 minutes. Une femme vient de crier en apercevant la silhouette de Richard se découper dans la lumière des néons.

Il est 9 heures et 10 minutes, et 100 personnes...

9 heures et 15 minutes, et 200 personnes, plus les pompiers.

9 heures et 20 minutes, et 500 personnes, les pompiers, plus la télévision.

Un homme va donc se jeter du 12e étage de l'hôtel du Capitole, en direct devant les caméras de télévision, car aux Etats-Unis le fait divers est un spectacle comme un autre.

L'une des caméras, le nez braqué en l'air, vient de saisir l'image. C'est une image surexposée dans la nuit, celle d'une silhouette éclaboussée par la lumière des néons et des projecteurs. L'objectif cherche le visage, le cadre et le renvoie sur des milliers d'écrans à la fois. Comme un visage de pierrot sur un croissant de lune.

Il est 9 h 30, et la famille de Richard Reinemann est arrivée. Sa famille, c'est son frère, sa belle-sœur et un petit neveu de neuf ans : Adam.

Cous tordus, visages levés, la famille appelle et supplie Richard dans le vacarme de la rue. Richard entend-il, sait-il ? Sûrement non. Il est comme un funambule sur sa corniche de 15 centimètres, vedette d'un cirque terrifiant où rien ne manque.

Des pompiers en bas avec une grande toile élastique. Des pompiers en haut qui n'osent pas approcher de peur qu'il ne saute, les voitures de police aux feux rouges tournoyants, la foule compacte, murmurante, les lumières, les caméras...

Ils attendent. Et ils se demandent pourquoi ce fou ne saute pas.

D'ailleurs, qui est ce fou ? Qui est ce pierrot blanc accroché à son quartier de néon, prisonnier éphémère des écrans de télévision ?

Le journaliste le dit par bribes, en raccourcis haletants. C'est un journaliste qui a réussi l'exploit d'interviewer un membre de la famille du désespéré. Un scoop.

« Richard Reinemann a dix-neuf ans. Il est vêtu d'un jean et d'une chemise bleue, chaussé de baskets. Il est célibataire, natif de notre ville où il travaille dans une usine de zirconium, un métal qui sert à l'industrie atomique... Son frère est chauffeur de taxi, sa belle-sœur est caissière dans un supermarché... Richard vit chez eux, il n'a plus ses parents, c'est un garçon gentil... travailleur, toujours gai... Sa famille croit savoir quel drame l'a mené là-haut. Une histoire d'amour toute bête. Sa famille le supplie de ne pas sauter. D'ailleurs les pompiers, actuellement, donnent un porte-voix au frère, et le frère s'adresse à lui, il demande d'abord le silence à la foule... »

Le speaker se tait, n'ayant rien d'autre à dire, ou pour faire entendre la voix lointaine du frère dans le porte-voix.

Là-haut, Richard boit. Il a sorti de sa poche une fiole plate et boit l'alcool au goulot avidement, corps renversé au-dessus du vide. Puis il lève le bras, l'agite un moment et jette la petite bouteille sur la foule qui gronde.

Il est 9 h 55. Quelqu'un crie :

« Saute, espèce de lâche, j'ai parié 10 dollars sur toi ! »

C'est bête une foule. C'est monstrueux. Monstrueusement bête.

Là-haut, la silhouette de Richard vacille, son bras fait de grands gestes incompréhensibles.

Que veut-il ?... Que dit-il ?...

Il se penche, son corps fait une sorte d'équerre dans le vide, s'immobilise, et la foule gronde encore de plus belle.

Elle gronde si fort que Richard n'entend même pas la voix du premier sauveteur parvenu à 3 mètres de lui derrière les plantes vertes. Le sau-

34

veteur lui parle pourtant d'un ton professionnel-
lement calme, il l'appelle par son prénom, il dit :

« Richard, mon garçon, aie confiance en moi,
recule, viens doucement, viens, on va discuter,
allez, viens, mon garçon, viens, Richard... viens. »

Richard ne l'entend pas, et pourtant il se
redresse, le corps plaqué au néon, les bras en
croix, il regarde le ciel comme s'il ne voulait plus
voir le vide. Il respire très fort.

Il est 10 heures, et la foule s'est installée. Elle
commente l'événement. Elle patiente, debout sur
les voitures, affalée sur les trottoirs, plantée sur
les balcons, vissée aux fenêtres, agrippée aux
arbres. La foule mange aussi, boit, fume et
suppute :

« Sautera... sautera pas... sautera... sautera
pas... »

Le suspense ralentit, puis accélère lorsque
Richard change de main pour se retenir, puis
retombe et renaît à nouveau quand il allume une
cigarette et se met à fumer sur son 12e étage. Les
spectateurs applaudissent, même, quand il jette le
paquet, ils font « Hou » quand il balance son
portefeuille... « Hou » quand il laisse tomber sa
montre.

Sur la terrasse de l'hôtel du Capitole, au premier rang de l'orchestre, il y a les sauveteurs et
un prêtre envoyé par la famille qui récite des prières que personne n'écoute.

De temps en temps, Richard menace ceux qui
tentent de s'approcher :

« Ne bougez pas, ou je saute tout de suite... »

On a laissé monter le frère et la belle-sœur, ils

veulent tenter de raisonner Richard, mais, en les apercevant, en entendant leur voix, Richard s'éloigne en titubant sur la corniche, comme un homme ivre, son pied glisse, la foule hurle, il se rattrape et bafouille : « Qu'ils foutent le camp, je ne veux pas les voir... »

Alors, précipitamment, les sauveteurs éloignent la famille. Car Richard a les yeux fous, il transpire, son corps tremble, il est tout près de lâcher prise, trop près. Il faut du calme, du calme. Ne rien dire, ne plus le harceler, attendre que la crise passe. Et elle passe. Une fois de plus, Richard se calme, assure sa prise et regarde en l'air. Il a peut-être le vertige. En tout cas, il est fatigué.

Il est 10 h 30 à présent. Il y a donc une heure et demie qu'il est là sur 15 centimètres de corniche, appuyé sur les talons et se tenant d'une main à la barre de métal qui soutient les néons, à une hauteur de 40 mètres au-dessus du sol.

Depuis un moment, la foule ne réagit presque plus. Elle aussi est fatiguée. Elle reste là parce qu'il faut bien voir la fin. Parce qu'on ne quitte pas une pièce comme celle-là avant le dernier acte.

Mais il se passe une drôle de chose. Il se passe que Richard n'est plus sympathique à la foule. Il a trop attendu. Maintenant, tout le monde se fiche éperdument qu'il saute ou ne saute pas, et la télévision a même changé de programme, ne donnant plus que des nouvelles sporadiques, et pour la forme, entre deux publicités.

« Le désespéré tient toujours les sauveteurs en haleine. »

Le pierrot est tout seul sur son morceau de lune. La tension créée par sa tentative est arrivée à son terme. Il doit le ressentir lui aussi. Le moment de la dernière minute est venu. Maintenant, ou il se réfugie honteusement dans les bras des sauveteurs, ou il saute.

Mais qui va deviner qu'il s'agit bien de la dernière minute. Qui ? Puisque la foule est passive, que les sauveteurs se concertent, que la famille pleure, bref, que chacun vit sa propre minute et non celle de Richard Reinemann ?

Adam, un petit garçon de neuf ans qui adore son oncle Richard, se faufile dans le hall encombré de l'hôtel du Capitole. Il grimpe en pleurant les douze étages de l'escalier de service, se cogne à une porte fermée, se faufile par un soupirail et rampe sur la terrasse.

Un vent léger s'est levé, personne ne voit le gamin se glisser entre les plantes vertes, s'agripper à la balustrade et surgir à son tour sur la mince corniche qu'il se met à longer comme un petit singe.

Il est à 2 mètres d'Oncle Richard, et la foule soudain se tait vraiment. Il est à 1 mètre, et Oncle Richard le voit, le silence est effrayant. Il est à 50 centimètres, et Oncle Richard demande :

« Qu'est-ce que tu fais, Adam ?... Adam, qu'est-ce que tu fais là ? »

Adam a de grands yeux noirs pleins de larmes, il tend une main minuscule. Il arrive à articuler entre deux sanglots :

« Viens... viens, Oncle Dick... Viens... On s'en va... »

Oncle Dick a les mêmes yeux noirs pleins de larmes eux aussi.

Il tend la main, les doigts se soudent, grands et petits, sueur mêlée... C'est fini... La foule fait « Haâa »...

Et encore « Haâa »...

Et l'on dirait vraiment qu'elle est déçue.

5

LA VOIX

Quelque part au-dessus du Texas, à 12 000 mètres d'altitude, le sous-lieutenant Robert Waiding éprouve une certaine ivresse.

Il n'est pas seul aux commandes du chasseur bombardier; un chef pilote et instructeur de vol, le capitaine Joseph Garner, est assis sur le siège à côté de lui; mais il ne touche pas aux commandes, se contentant d'observer, car jusqu'à présent tout va bien.

Etant donné l'altitude, les deux hommes ont leur masque à oxygène. Dans un ciel glacé, parfaitement pur, l'avion à réaction trace une interminable traînée de condensation sous des milliers d'étoiles.

Après une longue période d'instruction théorique, le sous-lieutenant Robert Waiding pilote pour la première fois en double commande, à 12 kilomètres au-dessus de la terre! Il n'a pas vingt-deux ans, et c'est l'ivresse. Il est 22 h 45. Soudain, des flammes et des étincelles jaillissent du réacteur droit, tout près du fuselage. Joseph Garner, l'officier instructeur, juge aussitôt que l'avion est perdu. Certainement un manque d'huile qui a fait chauffer le réacteur !

Le danger dans ce cas est bien connu, les ailettes de la turbine seront projetées en éventail dans les réservoirs de kérosène, comme autant de projectiles. Joseph Garner donne aussitôt l'ordre impératif en pareil cas : « Evacuation ! »

En même temps, il exécute les manœuvres mille fois répétées : d'abord, il verrouille le pilote automatique, de façon que l'avion continue au moins pendant quelques secondes en vol horizontal, le temps d'éjecter l'équipage. Aussitôt après il fait sauter d'un seul coup la verrière de plexiglas protégeant le cockpit, et un vent violent s'y engouffre, à 700 km/h. Dans la seconde qui suit, le chef pilote ordonne à Robert Waiding de sauter. Obéissant aussitôt, le jeune homme actionne la commande de son siège éjectable, mais rien ne se produit ! Le mécanisme ne fonctionne pas. Péniblement, Robert Waiding, car le vent qui pénètre dans le cockpit rend le moindre mouvement difficile, tourne la tête vers Joseph Garner, à côté de lui, qui normalement attend qu'il soit éjecté pour le faire lui-même, et ce qu'il voit sur le moment l'horrifie.

Le siège de l'officier instructeur est toujours là, mais l'instructeur n'y est plus !

Joseph Garner a été arraché de son siège par le vent qui s'est engouffré par le panneau ouvert. Seul son masque à oxygène est toujours là, et il est déchiré.

Sans doute le capitaine Garner était-il mal arrimé à son siège éjectable. Il a été aspiré dans le ciel, à 12 000 mètres d'altitude! Robert Waiding sait que dans ce cas il reste à son instructeur une chance infime de s'en sortir.

En cas de panne du siège éjectable, il dispose d'un parachute de secours qu'il peut déclencher lui-même. Le problème, c'est qu'il n'a plus de masque à oxygène, et à 12 000 mètres il faut donc se laisser tomber en chute libre, le plus longtemps possible, pour n'ouvrir son parachute qu'à partir de 8 000 mètres au moins. Là où la couche d'air devient respirable sans masque. S'il le déclenche trop tôt, il mourra balancé en plein ciel, par manque d'oxygène!

Quoi qu'il en soit, il est trop tard. Une seule chose reste à faire pour Robert Waiding, se libérer lui-même de son siège éjectable et se jeter dehors avec son parachute de secours. Et cela très vite, car le réacteur crache flammes et étincelles comme une fusée.

Le pilote automatique ne maintiendra pas longtemps l'appareil en vol horizontal.

Robert Waiding va donc se libérer de son siège, il amorce le geste et, pour cela, doit se tourner un peu vers l'arrière du siège où se trouve le bouton qui libère la sangle, mais brusquement il aperçoit une botte. Une de ces bottes de vol fourrées comme il en porte lui-même, il comprend aussitôt. En se contorsionnant, il aperçoit son pilote instructeur, le capitaine Joseph Garner, coincé dans le fond du cockpit!

Il n'a pas été projeté au-dehors, mais au fond

de la cabine de pilotage, contre la cloison, où il reste plaqué par le terrible tourbillon glacé. Apparemment il n'est pas blessé, mais, brutalement privé de son masque à oxygène, évanoui.

Robert Waiding ne sait plus que faire. A vingt-deux ans à peine, il a surtout fait jusqu'à présent des vols simulés au sol et n'a encore jamais affronté une telle situation. Son premier mouvement est de se libérer de son siège pour se pencher sur l'officier. Mais cela servirait à quoi ? Poussé en dehors du cockpit, Joseph Garner, évanoui, ne pourrait pas déclencher son parachute !

De plus, qu'il reste dans l'appareil ou non, dans trois minutes au maximum il sera mort asphyxié !

A quoi bon mourir à deux ? La seule chose à faire pour Robert Waiding serait de sauter immédiatement, avant que l'avion ne se désintègre, car il ne peut plus rien pour le malheureux instructeur... A moins que... Et le jeune homme prend soudain une décision complètement folle : il ne PEUT PAS sauter en laissant le capitaine Garner évanoui. N'importe qui sauterait à sa place; son instructeur lui-même, s'il le pouvait, lui en donnerait l'ordre, mais c'est plus fort que lui, la seule chance qui reste sur un million, il va la tenter. Parce qu'il ne peut pas faire autrement, il est comme ça.

Il empoigne le manche pour faire piquer l'avion vers les couches de l'atmosphère plus denses, là où Joseph Garner retrouvera de l'oxygène. S'il fait très vite, il y parviendra peut-être à temps. C'est une idée folle, car le réacteur droit laisse toujours échapper des flammes et risque d'exploser à chaque seconde, de cribler la carlingue d'éclats et de détruire l'avion !

Robert Waiding essaie tout de même de peser au maximum sur le manche. Mais le manche est verrouillé automatiquement dès le début de la manœuvre d'éjection pour maintenir l'appareil horizontal, et il n'existe aucun système de déverrouillage. La seule chose dont se souvient Robert Waiding, c'est que dans ce cas il faut exercer sur le manche une poussée de 27 kilos. Il y parvient, et le chasseur bombardier entame un piqué de 45 degrés à une vitesse vertigineuse. Au début du piqué, à 12 000 mètres, le vent qui s'engouffre dans le cockpit ouvert approche les 700 km/heure, et il fait moins 40 degrés. Dans les secondes qui suivent, la vitesse grimpe à 800, 900 km/heure, mais la température reste au même niveau.

Et Robert Waiding ne peut plus refermer les paupières. Elles se sont retournées sur ses yeux qui lui font de plus en plus mal. Avant que sa vue ne se brouille définitivement, il a le réflexe de couper définitivement l'arrivée du kérosène sur le réacteur en flammes et, trente secondes plus tard, l'avion pique à près de 1 000 km/heure cockpit ouvert ! Le pilote instructeur toujours plaqué dans le fond. Robert Waiding toujours accroché au manche, mais ne voyant plus rien du tableau de bord, ou presque.

Il compte alors mentalement les secondes, essayant d'apprécier l'altitude, et au jugé redresse l'appareil. Il ne sait pas s'il est encore loin du sol. Il pense que c'est suffisant pour que Joseph Garner puisse enfin respirer, s'il est toujours vivant.

Quant à lui-même, il ne voit plus, et il a l'impression pénible que ses yeux sont en sang.

Enfin dans le laryngophone, relié à la tour de contrôle de la base, il lance l'appel de détresse :

« MAYDAY ! »

Il le répète plusieurs fois, et ajoute :

« Chasseur bombardier 2243, élève pilote Robert Waiding. Aidez-moi, je suis aveugle ! »

Et soudain, c'est la réponse : la voix du chef instructeur de la base lui répond :

« Vous êtes à 1 700 mètres, nous allons essayer de vous guider au radar ! » Le dialogue est dramatique, car l'instructeur au sol connaît bien Robert Waiding pour lui avoir donné ses cours théoriques, et il entreprend de guider par radio chacun de ses gestes.

Derrière le pilote aveugle, Joseph Garner n'a toujours pas repris connaissance. Mais la voix dans les écouteurs arrive à rassurer Robert : si le réacteur n'a pas explosé pendant le piqué, c'est qu'il tiendra le coup, lui dit la voix.

Puis la voix ordonne à Robert de réduire sa vitesse à 400 km/heure, le guide vers la commande à tâtons, et la vitesse se réduit.

Le vent, d'un seul coup, devient moins pénible. Puis l'avion descend un peu, Robert redresse et modifie son cap.

La voix lui rappelle comment piloter l'appareil en « crabe », avec un seul réacteur; enfin elle lui annonce calmement :

« Ça y est... tu es face au terrain. »

Il est à ce moment 23 h 17. Il y a trente-deux

minutes que le cauchemar de Robert a commencé.

La voix lui ordonne d'allumer ses phares d'atterrissage, de manière à pouvoir le guider à vue. Mais il a beau chercher à tâtons, il ne trouve pas la commande.

La voix ordonne alors calmement :

« Refais un tour, prends ton temps, je vais te rappeler où elle se trouve. » Quatre minutes plus tard, toujours aveugle, ne sachant toujours pas si son instructeur, derrière lui, s'est remis à respirer ou non, l'aspirant pilote Robert Waiding se présente face au terrain, phares d'atterrissage allumés.

La voix le guide pour cadrer convenablement l'appareil en fonction du déséquilibre créé par les réservoirs de kérosène à demi vidés.

Au dernier moment, l'appareil perd correctement de l'altitude, mais se présente légèrement de travers. La voix dit alors, sans la moindre trace d'énervement :

« Tu as le choix, petit... Ou tu remets la gomme et tu fais un tour, ou tu rentres le train immédiatement si tu peux, et tu te poses en crabe ! »

Robert Waiding répond aussitôt :

« J'en ai assez, je me pose ! »

Deux minutes plus tard, les camions d'incendie rattrapent le chasseur bombardier dont le ventre fait jaillir des étincelles sur la piste et le noient sous des tonnes de neige carbonique.

Les sauveteurs se précipitent et extirpent les deux hommes en même temps. Le pilote instructeur Joseph Garner sort de son évanouissement à l'infirmerie, dix minutes plus tard. A lui, il faudra tout raconter.

L'élève pilote Robert Waiding met trois jours à recouvrer la vue de façon à peu près normale, mais il gardera toute sa vie les yeux fragiles. Le 27 juillet 1962, il est décoré de la Flying Cross et réformé avec une pension, ce qui le fait échapper à la guerre du Viêt-nam... Qui perd un peu les yeux évite parfois de perdre complètement la tête.

6

COPIE CONFORME

« Monsieur n'a plus besoin de moi ? »

En domestique stylé, James, talons joints et chapeau melon à la main, s'incline devant Sir Lookenford. Celui-ci lève un œil de dessus son journal et fait un rapide tour d'horizon pour vérifier s'il n'a pas besoin de James. Sa colchicine est à portée de main avec la carafe d'eau et le verre. Le guéridon à roulettes est assez près. Son cahier de croquis, ses fusains et ses crayons sont là. Ses oreillers sont correctement remontés derrière son dos. Le fauteuil est bien orienté dans l'axe de la fenêtre, le repas froid est posé sur la table roulante.

« Tout est parfait, James, vous pouvez aller.

— Que Monsieur passe une bonne journée.

— Vous aussi, James. »

Faisant deux pas à reculons, le domestique sort de la pièce, et ses pas résonnent un moment dans le vestibule. Le loquet de la porte est tiré. Sir Lookenford entend le battant se refermer, puis la clef de James tourne deux fois dans la serrure, et les pas du domestique s'éloignent dans l'escalier. La porte cochère claque en bas. Le silence se fait. Sir Lookenford est seul. Seul et cloué sur son fauteuil d'osier. Il a hésité longuement avant d'accepter que James se rende au mariage de son neveu, car c'est le jour de sortie de la cuisinière, et, s'il lui arrivait quelque chose de fâcheux, Sir Lookenford ne pourrait rien faire. Il est vissé dans son fauteuil par la goutte. Qui n'a eu la goutte ne peut imaginer quelles souffrances endure le malade. La douleur se localise essentiellement dans le gros orteil, ce qui a l'air ridicule, mais c'est une douleur atroce, insupportable et lancinante, comme des milliers d'épingles qui tenteraient de sortir en même temps par cette extrémité du corps. Chaque pulsation du sang est un cauchemar. Alors, il ne faut surtout pas y toucher. Le moindre frottement, le plus petit choc, une feuille de papier à cigarettes fait hurler le pauvre goutteux. C'est pourquoi Sir Lookenford a la jambe droite emprisonnée dans une cage à oiseaux. On a pratiqué un trou au-dessus, mis un coussin de cuir au fond, et le pouce martyr repose là, au fond, isolé, à l'abri du choc malencontreux, comme un oiseau malade.

La crise a commencé il y a deux jours et risque de durer encore quelque temps. Le seul remède existant en 1910 est la colchicine.

Sir Lookenford pousse un profond soupir et maudit une fois de plus cette extravagante maladie qui transforme un gentleman en potiche grimaçante. Il est vrai que ledit gentleman est en général redevable de cet état pénible à son goût prononcé de la bonne chère. Lookenford a sans doute toujours un peu trop forcé sur le sauvignon et le pouilly-fuissé. Une addition à laquelle il convient d'ajouter sa prédilection pour le foie gras truffé et le cuissot de sanglier grand veneur. Ce sont là les causes paradisiaques de l'enfer qu'il vit actuellement.

Sir Lookenford prend son cahier à dessin et son crayon, et travaille à la composition d'une nature morte intitulée : *Le canard aux raisins.* Il faut préciser que Sir Lookenford est un excellent peintre à ses heures, et, tout comme son ami Churchill, il passe le plus clair de ses loisirs devant un chevalet. Il a même fait plusieurs expositions.

Il s'ingénie à trouver l'équilibre de sa future composition, lorsqu'un bruit étrange attire son attention, venant du vestibule. Cela ressemble à un bruit métallique, comme si l'on introduisait quelque chose dans la serrure. James revient probablement, car il aura oublié quelque chose. Sir Lookenford aperçoit d'ailleurs sur la chaise le cadeau qu'il destinait à son neveu. James est une tête de linotte. Gentil, dévoué, mais tête de linotte.

Sa clef tâtonne dans la serrure, comme s'il n'avait pas la bonne clef. Sir Lookenford dresse l'oreille, entend un nouveau tour de clef, puis à nouveau des tâtonnements... Et tout à coup il est pris d'un doute. Si ce n'était pas James. Or il n'y a personne dans l'immeuble en cette période estivale, et personne non plus ne possède la clef de son appartement. Pas même le concierge qui, d'ailleurs, est absent lui aussi. Cet état de fait représente le moment idéal pour un cambrioleur.

Le deuxième tour de clef vient de claquer, la porte s'ouvre, et le courant d'air agite les rideaux. Sir Lookenford appelle :

« C'est vous, James ? »

Il n'obtient pas de réponse. Ce n'est donc pas lui.

« James ? »

La porte vient de se refermer.

« Qui est là ? »

On a beau être anglais, être un glorieux blessé de la guerre des Boers, posséder le fameux flegme britannique, il est des moments où le cœur s'emballe, et Sir Lookenford sent le sien cogner dans sa poitrine et battre de douleur l'extrémité de sa jambe.

« Mais qui est là ? » répète-t-il angoissé.

Un long silence répond à sa question, et puis un pas résonne dans le couloir, et puis un autre, et malgré lui le grabataire cherche du regard une arme quelconque. La carafe ? Le couteau à bout rond ? Les ciseaux ? Tout cela est dérisoire, alors qu'il y a deux revolvers dans le tiroir de la commode. Mais à présent une ombre se dessine derrière les voilages de la porte d'entrée qui s'ouvre lentement.

« Qu'est-ce que c'est ? dit Sir Lookenford le plus fermement possible.

— Excusez-moi, sir, c'est pour un cambriolage », s'entend-il répondre le plus courtoisement du monde.

L'homme dont la silhouette s'encadre dans la porte a la cinquantaine. Il tient à la main un « nerf de bœuf », et Sir Lookenford maîtrise à grand-peine son émotion. S'il s'agit d'un simple cambrioleur, passe encore, mais l'homme est peut-être un maniaque. Le souvenir de Jack l'Eventreur hante encore les mémoires des Londoniens. L'essentiel n'est-il pas de rester « relax »? Sir Lookenford poursuit donc cette curieuse conversation sur le même ton :

« Oh! c'est pour un cambriolage?

— Oui. Je sais que vous êtes seul et que votre crise de goutte vous interdit tout mouvement, alors, pardonnez-moi, je vais en profiter. »

Sir Lookenford esquisse un petit sourire, crispé mais poli :

« Alors, je vous en prie, mon ami, faites...

— Je vais essayer de faire vite.

— Ça ne vous dérange pas si je continue de dessiner pendant ce temps? »

Le cambrioleur se penche sur le dessin et apprécie en connaisseur.

« Une nature morte! Les pommes de Cézanne sont admirables, mais je leur préfère celles du gobelet d'argent de Chardin... pas vous? »

Cette précision picturale de la part d'un monte-en-l'air surprend quelque peu Sir Lookenford, qui complimente son voleur.

« Les connaisseurs sont rares, de nos jours! »

Tout en ouvrant les tiroirs et en faisant main basse sur tous les objets précieux qui s'y trouvent, l'homme raconte qu'il a fait les Beaux-Arts et qu'à un moment de sa vie il a peint avec un certain bonheur, il a même fait des faux, assez réussis, et puis les rhumatismes l'ont contraint à troquer le pinceau contre la pince-monseigneur. Sir Lookenford se croit obligé de compatir.

« Quel dommage pour la société ! »

L'homme surenchérit et se plaint de la dégradation des mœurs.

« Ainsi, le croiriez-vous ? J'ai cambriolé la semaine passée la résidence d'un lord, eh bien, la perle de sa cravate était fausse, quant à sa chaîne de montre, elle était en toc ! »

Tout en devisant de la sorte, le cambrioleur a sorti de sa poche un œilleton de bijoutier et vérifie les poinçons de l'argenterie qu'il dépose délicatement dans un sac marin. A voir ces deux hommes bavarder aussi tranquillement en effectuant chacun leur travail, qui pourrait supposer que celui qui trie est un voleur et que celui qui dessine est un volé ? Mais tout à coup le portail de la rue se referme avec fracas, et Sir Lookenford a du mal à maîtriser son émotion, c'est James qui revient. L'homme a lui aussi entendu, il tend l'oreille, des pas montent l'escalier. Alors le cambrioleur remet rapidement de l'ordre, repousse les tiroirs, dissimule son sac derrière une tenture et ouvre la porte de la penderie.

« Désolé de vous menacer, j'ai horreur des violences, mais, si par malheur vous me dénonciez d'une façon quelconque, le premier coup serait pour votre visiteur, le second pour votre pied. »

Cette perspective fait passer un frisson dans le dos de Sir Lookenford, qui continue de dessiner. Au moment où l'homme va disparaître dans la penderie, il se ravise et se précipite vers sa victime, lui arrache le crayon des mains et prend tous ceux qui sont à sa portée :

« Des fois que l'envie d'écrire un mot à l'intention de la police vous viendrait à l'esprit... »

C'était bien l'intention de Sir Lookenford, qui avait déjà imaginé quelque chose comme : « Surtout ne dites rien, allez prévenir la police. Un cambrioleur est caché dans la penderie. » A présent, c'est exclu.

La porte s'ouvre, le voilage de la fenêtre s'enfle sous l'appel d'air, et James fait son entrée dans la pièce.

« Veuillez m'excuser, sir, j'ai oublié mon cadeau. »

Sir Lookenford désigne du regard le rideau derrière lequel le cambrioleur a dissimulé son butin.

« Il est là, James ! »

Le domestique marque une seconde d'hésitation. Son maître serait-il devenu subitement fou ? Le cadeau est là, sur la chaise, et il lui désigne le rideau de la fenêtre !

« Prenez-le, James, et ne vous mettez pas en retard pour le baptême, votre petit filleul ne vous le pardonnerait pas... »

James écoute avec stupeur ces propos incohérents, regarde le rideau puis à nouveau son maître qui roule des yeux en direction de la penderie. L'effet n'est pas celui souhaité, car James reste interdit et demande :

« Monsieur ne se sent pas bien ? »

La pensée fulgurante d'un coup sur son orteil

ramène Sir Lookenford à une prudente réserve; il reprend un visage paisible et sourit.

« Tout va très bien, James, amusez-vous bien. »

Le domestique prend son paquet et sort perplexe. C'est la première attaque que subit son maître. A l'avenir, il faudra donc se méfier, il semble que la goutte lui porte sur la tête. James referme le portail sur lui, et le cambrioleur parachève son œuvre en toute quiétude. En parfait gentleman il a rendu ses crayons à sa victime, et c'est après avoir remis tout en ordre qu'il prend congé.

« En vous remerciant de votre aimable compréhension, sir... »

Au moment où il va franchir la porte, le bruit d'un véhicule s'arrêtant en bas le fait bondir à la fenêtre.

« La police! »

Le cambrioleur disparaît en courant, et quelques instants plus tard James est près de son maître.

« Que Monsieur me pardonne d'arriver tard, mais, troublé par son attitude, je cherchais la signification, lorsque brusquement je me suis souvenu que j'avais donné deux tours de clef en partant. Or, en revenant, la porte n'était plus fermée à clef... »

Sir Lookenford félicite James qu'il appelle son « Sherlock Holmes », et les policiers lui annoncent que le cambrioleur a réussi à s'enfuir par les toits.

« Qu'à cela ne tienne, dit Sir Lookenford, vous le retrouverez, j'espère, grâce à ceci. »

Sous la feuille d'étude de sa nature morte, Sir Lookenford a dessiné deux portraits saisissants de son visiteur. L'un de face et l'autre de profil, comme il se doit. Les services anthropométriques de Scotland Yard n'auraient pas fait mieux.

Alors, James se permet une plaisanterie. Une fois n'est pas coutume.

« Si je suis Sherlock Holmes, vous êtes digne du docteur Watson, sir, avec tout le respect que je vous dois ! »

7

LES DENTS DU COLLECTEUR

Il en faut beaucoup à Samuel Jackson pour être épouvanté. Mais ce qui lui arrive, ce 22 février 1935, épouvanterait n'importe qui.

Samuel Jackson est noir. Il fait partie de ce qu'on appelle, parmi les égoutiers de New York, la « Brigade des Ringards ». Et il est en train justement, ce jour-là, de manier le « ringard ». Il s'agit d'une sorte de gros râteau à ordures, au long manche de fer, qui sert à désengorger les égouts les plus étroits afin que l'eau continue de s'y écouler.

Il avance donc quelque part sous la 42e Avenue, dans l'une de ces galeries étroites, obscures, de section ovale, où il faut marcher tête baissée, l'un derrière l'autre, suivi de son coéquipier — car jamais un homme seul ne s'aventure dans ces « boyaux de l'enfer ».

Le flot nauséabond monte jusqu'en haut des cuissardes, et ce n'est pas normal. Quelque chose doit obstruer la galerie devant eux, faisant ainsi monter le niveau.

Ce que les deux hommes trouvent encore plus étrange, c'est de ne plus voir dans le faisceau de leur lampe frontale les gros rats qui s'enfuient habituellement en poussant de petits cris. Quelque chose a fait que les rats ont déserté cette galerie.

Samuel est en train de se demander pourquoi, lorsque, brusquement, sous la surface de l'eau noire, il sent le « ringard » buter contre quelque chose de dur. Voilà sûrement ce qu'il faut dégager !

Il avance donc un peu, allonge le bras pour saisir la tige de fer plus en avant et demande à son collègue de l'aider à soulever, derrière lui, le long et lourd râteau.

C'est alors que sous l'eau, brutalement, quelque chose lui saisit le pied ! La semelle de caoutchouc épais de sa botte cuissarde est brutalement prise comme dans un étau et attirée vers l'avant !

Avant même d'avoir pu pousser un cri, le malheureux Samuel tombe en arrière et se retrouve allongé dans l'eau de l'égout. Sa lampe frontale s'y éteint aussitôt, et il disparaît ! Son pied droit est entraîné par une sorte de mâchoire, car, malgré l'épaisseur du caoutchouc, il sent des dents ! Pendant les deux ou trois secondes qui suivent, le malheureux s'efforce à la fois de ne pas ouvrir la bouche, pour ne pas être noyé dans cette horreur, et de résister à la CHOSE ! à cet animal, sans doute, qui l'entraîne furieusement par le pied droit.

Les parois incurvées de l'égout sont lisses, et il n'y a qu'une chose à laquelle il trouve à s'agripper, c'est le manche du ringard qu'il n'a pas lâché. La longue tige métallique est toujours tenue derrière lui par son camarade. Elle est heureusement assez longue pour être tenue à deux. Et heureusement aussi, l'autre est un Géorgien solide. Car le grand gaillard, supposant que son collègue a glissé, se retient fermement d'une main à une espèce de tuyau ou de gaine de téléphone, qui court en haut de la galerie, et en même temps, de l'autre main, ne lâche pas la longue tige de fer du ringard à laquelle s'accroche Samuel. Sans comprendre la force qui veut lui arracher cette tige des mains, croyant que c'est Samuel qui tire, il a le réflexe de résister. Mais dans l'eau abominable, le pauvre Samuel qui n'a pas eu le temps d'aspirer beaucoup d'air sent qu'il va lâcher et qu'il va disparaître dans un mètre d'eau avec cet animal qui le tire toujours par le pied droit. Soudain, quelque chose se produit. Les bottes cuissardes des égoutiers sont toujours d'une bonne pointure au-dessus de celle de leurs chaussures, pour leur permettre de s'en libérer rapidement. Et, d'un seul coup, Samuel sent son pied dégagé, car la cuissarde s'en va !

Dans la même seconde, fou d'horreur et suffocant, il émerge de l'eau et se met à hurler :

« Sauvons-nous... il y a une bête ! Là... sous l'eau, devant nous ! »

Les deux égoutiers, complètement terrorisés, laissent tomber le ringard et refluent en pataugeant vers la sortie de la galerie, l'un derrière l'autre! Samuel traînant sa jambe sans cuissarde...

Lorsqu'ils émergent de la bouche d'égout, dans la 42ᵉ Avenue, on les prend pour des hallucinés..., et il faut un bon moment avant que leur histoire soit prise au sérieux.

Samuel a laissé sa botte dans le collecteur, et son pied est marqué de points rouges assez nets : les dents d'une mâchoire ont traversé l'épaisseur du caoutchouc! Mais une mâchoire de quoi? Quel animal d'une taille pareille peut vivre dans l'eau des égouts de New York?

La nouvelle de l'aventure de Samuel Jackson se répand immédiatement parmi les égoutiers... puis dans la ville et dans les journaux!

Quelqu'un a émis une folle hypothèse, que l'un des quotidiens reprend avec un point d'interrogation : « Le monstre des égouts de Manhattan est-il un rat géant? »... Sous-titre : en attendant la réponse : « grève des Ringards ».

Car plus aucun égoutier ne veut manier le ringard dans les égouts. Si bien que le maire de New York fait deux choses : la première est de publier un communiqué rassurant : sans doute les deux Noirs, impressionnables, ont-ils exagéré l'aventure. Ensuite, il envoie des policiers armés patrouiller dans les galeries, mais dans les grands collecteurs, là où ils ne risquent pas de se perdre, et à bord de bateaux spéciaux. Des barges extrêmement plates.

Sous l'agglomération de New York, il y a des centaines de kilomètres d'égouts, et rien ne se passe pendant trois mois de patrouilles régulières.

Et puis, le 25 février, un policier d'origine italienne, Francesco Montello, est à l'avant d'un bateau en acier dans le grand collecteur qui longe la 14e Rue, quand soudain il sent littéralement ses cheveux se hérisser sur sa tête. Dans le faisceau de sa torche, à la surface de l'eau noirâtre et nauséabonde, il aperçoit deux yeux. Deux gros yeux écartés d'au moins 10 centimètres et qui luisent d'un éclat rouge.

Incapable de parler, muet de peur, il fait signe d'arrêter le bateau à l'égoutier qui le guide, et lui aussi voit les deux yeux. Or il est impossible que ce soit un rat !

Francesco Montello est armé d'un colt encore en service dans la police de New York en 1935 : le modèle automatique datant de 1911. Un véritable petit obusier à main, pesant plus d'un kilo et pouvant tirer à la file sept balles de 11,5 millimètres de diamètre !

Surmontant sa panique, le policier passe sa torche électrique à l'égoutier et braque l'énorme revolver en le tenant à deux mains, comme on le lui a appris à l'école de police. Pour mieux ajuster l'un des yeux du monstre, il appuie le canon sur le rebord du bateau, et il tire sept fois. Cela fait dans la galerie le vacarme d'une salve d'artillerie. L'odeur de la poudre se mêle instantanément aux effluves de l'égout dont l'eau s'agite tout à coup violemment.

Lorsque le calme renaît, les deux gros yeux rouges ont disparu, des vagues nauséabondes viennent gifler l'avant du bateau, c'est tout... et puis quelque chose, lentement, remonte à la surface de l'eau noire, et horrifiés les deux hommes comprennent enfin ce qu'ils ont vu dans le faisceau de la torche électrique : les deux yeux rouges d'un énorme alligator, dont le ventre clair flotte maintenant devant le bateau.

Une bonne demi-heure plus tard, dans la 14e Rue, les passants aperçoivent un policier aidé de plusieurs hommes remontant par la bouche d'égout, avec des cordes, un alligator de trois mètres de long couvert de vase !

L'une des balles du colt, la première sans doute, lui a fait sauter l'œil et a traversé le cerveau. Les autres ont dû glisser sur les écailles.

Aussitôt des questions se posent : car un spécialiste consulté déclare sans hésiter : premièrement, qu'il s'agit d'un alligator du Mississippi, et il convient de savoir ce qu'il faisait là; deuxièmement, que ce n'est peut-être pas l'alligator qui a mordu le pied de Samuel Jackson et entraîné sa botte ! Car il est trop gros ! Il aurait tranché d'un seul coup la botte en caoutchouc avec le pied ! C'était sûrement un alligator plus petit. Et, comme l'accident s'est produit beaucoup plus loin, sous la 42e Avenue, cela veut dire qu'il y a des alligators dans les égouts de New York !

Le maire de la ville organise alors la battue la plus hallucinante que l'on puisse imaginer : des centaines de volontaires, guidés par les égoutiers, avec des lampes frontales, des carabines et des cuissardes, descendent dans les égouts.

Un spécialiste leur dit :

« Généralement, les alligators dorment à la surface ou font semblant de dormir. Ils guettent le moment de pouvoir saisir une proie, ils la noient sous l'eau et attendent plusieurs jours avant de la dévorer. Vous les repérerez à la lueur rouge de leurs yeux quand elle se reflète dans la lumière électrique. C'est ainsi que l'on chasse la nuit dans les marais en Floride. »

Au cours de cette année 1935, les chasseurs tueront dans les égouts de New York plus de cent cinquante alligators de toutes tailles !

L'explication, la voici :

Cinq ans auparavant, donc en 1930, il y avait eu une grande vogue à New York : la mode des « pets », c'est-à-dire des animaux vivants qu'on offrait en cadeau surtout aux enfants : poissons, perroquets, tortues, lézards et aussi bébés alligators, tout mignons, venus des fermes du Mississippi, où on les élevait pour en faire des chaussures ou des sacs ! Mais, avec les années, les petits alligators avaient grandi dans les lavabos et les baignoires, et les pères de famille, pour s'en débarrasser, les avaient jetés la nuit dans les bouches d'égouts, vivants. En somme : « Débrouille-toi, que je ne te revoie plus ! »

Or, ils s'étaient fort bien débrouillés, car il ne fait pas froid dans les égouts, mais plutôt chaud et humide en permanence, et, parce que très certainement ils avaient fait la chasse aux rats, voilà pourquoi l'égoutier s'étonnait de n'en plus rencontrer. Et voilà pourquoi les alligators étaient devenus énormes.

On peut se demander si certains n'ont pas

échappé à cette battue en 1935, et s'il n'en vit pas encore un ou deux dans les égouts de New York, atteignant leur maximum de longueur, c'est-à-dire 5 mètres. Mais ce n'est pas possible : car si l'alligator est difficile à dégoûter (la preuve), il y a une chose dont on est absolument sûr qu'il ne la supporte pas : le détergent !

8

LA RADIO DANS LA TÊTE

C'est le 28 février 1937, à 8 heures du soir très précisément, que Léon Bouvreuil se demande s'il est en train de devenir fou. Il écoute la radio tranquillement avec son épouse, tout en dînant. Ils sont dans leur appartement du XVe arrondissement de Paris. Tout est normal. Le dîner, le quartier, Paris, tout est calme.

Il y a une dizaine de minutes que Mme Bouvreuil a allumé le récepteur, et tous deux écoutent religieusement Tino Rossi chanter *Marinella.* Tout à coup, entre Léon Bouvreuil et sa femme s'instaure un dialogue étrange : Mme Bouvreuil tourne la tête vers le récepteur et dit :

« Allons, bon ! »

Léon Bouvreuil regarde sa femme d'un air étonné et demande :

« Qu'est-ce qu'il y a ? »

Mme Bouvreuil répond :

« Eh bien, quoi ?... qu'est-ce qu'il a, le poste ?

— Eh bien, il est en panne !... »

Au bout de quelques minutes de ce dialogue de sourds à propos d'un poste muet, Mme Bouvreuil entre dans une colère noire qui n'a d'égale que la colère bleue dans laquelle est entré son mari. C'est qu'il se passe une chose étrange. Il se passe que Mme Bouvreuil n'entend plus la radio et que Léon Bouvreuil l'entend toujours! Sa femme croit qu'il se moque d'elle, et plus elle lui demande de cesser cette plaisanterie stupide, plus il lui demande d'en faire autant! Ce quiproquo donnant rapidement naissance à une scène de ménage!...

Léon Bouvreuil insiste : « Mais enfin, puisque je te dis que j'entends Tino Rossi, je ne suis pas fou tout de même! »

Le ton de la discussion devient si vif que Léon Bouvreuil, excédé, se lève et dit :

« Puisque c'est comme ça, je ferme le poste! »

Et il tourne le bouton. C'est alors que la situation devient dramatique.

Il regarde sa femme d'un air légèrement égaré et dit :

« C'est quelque chose... J'entends toujours... »

Au bout d'une heure de discussion, il leur faut se rendre à l'évidence : Léon Bouvreuil, trente-huit ans, sain de corps et d'esprit, est victime d'un phénomène aussi soudain qu'invraisemblable : il entend la radio DANS SA TÊTE. Sa femme est obligée d'en être convaincue, car non seulement il lui chantonne le répertoire de Tino Rossi, mais il lui répète mot à mot les informations du Poste Parisien jusqu'aux cours de la Bourse. Cet invraisemblable phénomène cesse vers 2 heures du matin, en même temps que la fin des émissions. Léon Bouvreuil, qui a été contraint d'ingurgiter tout le programme jusqu'à cette heure tardive, s'endort, complètement épuisé, un peu après *La Marseillaise*, sous l'œil inquiet de sa femme qui se demande ce qui se passe dans la tête de son mari et le regarde vaguement comme un extra-terrestre.

Elle finit tout de même par s'endormir à son tour, de fatigue... Mais le lendemain matin, réveil en sursaut : son mari, à côté d'elle, s'est dressé, assis sur le lit, comme un diable à ressort qui sortirait d'une boîte. Il entend dans sa tête une voix d'homme lui commandant la gymnastique matinale. PLI-EZ, RE-LE-VEZ ! PLI-EZ. CE-SSEZ !

Les jours suivants sont un calvaire pour Léon Bouvreuil. Où qu'il aille, où qu'il se trouve, chez lui, dans la rue, à son bureau, depuis le matin 6 h 30 jusqu'à 2 heures du matin, il entend tous les programmes radio A L'INTERIEUR de sa tête ! Sauf, et c'est encore plus étrange, quand il ouvre la bouche assez largement. En bâillant, par exemple. Cette position arrête mystérieusement les émissions, mais il est évident que Léon Bouvreuil ne peut passer sa vie à bâiller.

Bien évidemment, il se rend chez un médecin, lequel n'y comprend rien ! Puis chez un neuropsychiatre, qui n'y comprend rien non plus mais ne veut pas l'avouer, lui fait donc subir un interrogatoire serré, dont la première question est logique :

« Quel poste entendez-vous ? Est-ce toujours le même ? »

Léon Bouvreuil a du mal à suivre les circonvo-lutions de la conversation du psychiatre, car il suit en même temps un radio-crochet. Il fait donc cette réponse déconcertante :

« Eh bien, en général, je suis branché sur le Poste Parisien. Mais ça dépend des heures et de l'endroit où je me trouve. Par exemple, quand je passe devant le palais de Chaillot, j'entends des émissions culturelles. Mais ça ne dure pas ! Elles disparaissent dans la rue Paul-Doumer. Heureuse-ment, d'ailleurs, parce que j'aime moins, ça me fatigue beaucoup plus ! » Le neuropsychiatre y perd complètement son latin, car Léon Bouvreuil ne peut pas être simulateur. Il donne la météo, les informations et les cours de la Bourse presque mot à mot.

C'est délirant, et c'est d'ailleurs très grave pour lui. Il ne peut même plus travailler. On lui parle alors qu'il est en train d'écouter Jaboune ou Ray-mond Souplex ! Il y a de quoi devenir fou ! Et c'est peu à peu ce qui arrive au malheureux. Il en perd l'appétit, il ne supporte même plus qu'on lui parle et finit par être contraint de cesser de travailler. La nuit, parfois, il arrive même qu'il soit réveillé par des télégrammes en morse. TU-TUUT. Sa vie est infernale. Sa vie est un bruit perpétuel, sa tête une caisse de résonance. Léon Bouvreuil se sent bon pour l'asile. Le énième spécialiste du cerveau consulté lui tient un charabia selon lequel il fau-drait en conclure que les ondes électriques émises par son cerveau captent les émissions radio.

Léon Bouvreuil demande :

« Vous ne pourriez pas me mettre un interrupteur? Ça ne s'arrête que quand j'ai la bouche ouverte. On pourrait peut-être, par exemple, inverser le système? Je ne sais pas, moi, faites quelque chose, n'importe quoi! » Il faudra trois mois pour trouver la solution. Il faudra que Léon Bouvreuil fasse ce qu'il aurait dû faire depuis le début, c'est-à-dire consulter un radioélectricien. La première question que lui pose l'ingénieur est celle-ci :

« Avez-vous des fausses dents? »

Léon Bouvreuil, interloqué, répond :

« Oui! »

L'ingénieur radio insiste :

« En avez-vous au moins deux, et sont-elles métalliques? »

Effectivement, Léon Bouvreuil a deux fausses dents : une à la mâchoire supérieure, l'autre à la mâchoire inférieure, l'une au-dessus de l'autre. Elles sont en or, toutes les deux.

Et voici l'explication de son aventure diabolique. Les deux dents en or produisaient ce que l'on appelle « l'effet de pile ». Il suffit que deux objets d'un métal différent, ou d'un même métal, mais dont l'un est oxydé, soient à une petite distance l'un de l'autre pour que cela fasse exactement comme une pile. Un faible courant électrique passe entre les deux objets dans un sens, mais pas dans l'autre.

Léon Bouvreuil avait deux dents en or, dont l'une recouvrait un plombage. Lorsqu'il tenait la bouche fermée, ou à peine entrouverte, les deux dents se trouvaient juste à la bonne distance pour que le courant passe! Et cela suffisait pour qu'il entende la radio, car il habitait Paris, non loin de la tour Eiffel, c'est-à-dire très près de l'émetteur radio de son sommet. Et ses deux fausses dents faisaient récepteur.

C'est un phénomène rare, mais il suffit que toutes les conditions soient remplies, et notamment la proximité d'un émetteur puissant.

Léon Bouvreuil entendait donc la radio par les os de sa mâchoire qui les transmettaient à son oreille interne; lorsqu'il ouvrait la bouche un peu plus largement, lorsqu'il était chez le dentiste ou quand il bâillait, le bruit s'arrêtait, car le courant ne passait plus entre ses deux dents. M. Bouvreuil est aujourd'hui à la retraite. Il a depuis longtemps des dents en porcelaine, et sa femme peut lui parler désormais tranquillement, à longueur de journée; ce qui fait que parfois, il le dit sans méchanceté, mais il le dit tout de même, il lui arrive de regretter sa radio.

9

LA DÉCISION
DU SERGENT MAC DOUGLAS

Au départ, ils étaient cent vingt-cinq. Cent vingt-cinq naufragés entassés dans un canot de sauvetage prévu pour en transporter quarante au maximum. Cent vingt et un hommes et quatre femmes, rescapés du naufrage du *Singapour,* un cargo mixte, torpillé en plein océan Indien.

Vers le 21 ou le 22 mars 1943, sept jours après le naufrage, le sergent Mac Douglas achève de faire les comptes : ils ne sont plus que vingt-cinq : deux femmes, quatre marins du *Singapour,* quatorze soldats de la 15e division, dont Mac Douglas, et les cinq hommes de l'armée des Indes. Le groupe des cinq. Le terrible groupe des cinq, celui que va devoir surveiller avec attention le sergent Mac Douglas, à présent qu'il est devenu le chef hiérarchique des rescapés. Combien de morts ont-ils déjà sur la conscience, ces cinq-là, se demande le sergent. Voilà déjà quatre nuits qu'ils opèrent. On entend une agitation soudaine, un cri étouffé, puis le bruit d'un corps qui tombe à l'eau. Et le lendemain matin, lorsque le jour se lève, il manque trois, quatre ou six personnes.

C'est au cours de la nuit où la mer était le plus agitée que le groupe des cinq a battu son record : au petit jour, onze personnes avaient disparu. Le but est évident, ils veulent devenir les maîtres du canot, s'emparer des vivres et du peu d'eau potable qui reste, et imposer leur loi. Peut-être même rester seuls à bord.

Rassemblés à l'avant, ils repoussent brutalement tous ceux qui tentent de s'approcher d'eux. Celui qui s'affaiblit ou craque est, à coup sûr, perdu d'avance.

La veille, vers midi, le commandant Brendt s'est mis tout à coup à rire en tenant des propos incohérents. Couvert de brûlures provoquées par le soleil implacable qui tape sans répit depuis sept jours, il était devenu fou. Dans la nuit, on l'entendit pleurer à voix haute. Au petit jour, il avait disparu, ainsi que deux soldats de la 15e division. La nuit prochaine verra d'autres victimes, et Mac Douglas se dit qu'il va falloir faire quelque chose dont il n'a pas la moindre idée pour l'instant, car aucune arme n'est à bord pour imposer une loi quelconque. De plus, jusqu'à présent, la discipline était assurée grâce à l'autorité du commandant Brendt. Maintenant qu'il n'est plus là, Mac Douglas doit faire en sorte que l'ordre continue à régner. A lui de trouver comment. L'ordre ! Mot dérisoire quand il s'agit d'individus aussi mal en point, perdus au milieu de l'Océan, à des centaines de kilomètres de toute côte, sous un soleil meurtrier, et avec pour tout ravitaillement six boîtes de corned-beef et une bouteille et demie d'eau !

Il y a sept jours, la majorité des naufragés ont été surpris par l'explosion du *Singapour,* en plein sommeil. De ce fait, ils étaient à demi nus. Le soleil intense a provoqué dès les premières heures des brûlures atroces. Et qui dit brûlures dit fièvre, et la fièvre donne soif. Malgré les recommandations, les malheureux ont bu de l'eau de mer, ce qui a aggravé leur état. Les noyades par épuisement ou suicide se sont succédé de façon tragique. A l'issue de la première journée et de la première nuit, trente hommes étaient déjà portés disparus.

Au troisième jour, ils n'étaient plus que soixante-six. Puis quarante-neuf au quatrième jour, trente-neuf au cinquième, vingt-huit hier, et ce matin... vingt-cinq... presque vingt-quatre puisque le quartier-maître du *Singapour* agonise sur les genoux de sa femme. Atrocement brûlé aux épaules et au visage, il prononce des mots sans suite, et soudain il se dresse, repousse sa femme, bondit sur le plat-bord et, dans un plongeon impeccable, disparaît sous l'eau. On le voit réapparaître à deux reprises, agiter sa main dans un signe d'adieu, et puis plus rien. Personne n'a fait un geste. Pas même sa femme qui pleure à présent, la tête enfouie dans ses mains. A l'avant, le groupe des cinq parle à voix basse. Mac Douglas, qui les observe, devine qu'ils passent en revue tous les rescapés, les uns après les autres. Le meneur du groupe s'adresse tout à coup brutalement à Mac Douglas, perdu dans ses pensées :

« Alors, elle vient cette distribution ? »

Ce doit être l'heure, en effet ; le soleil a fait son apparition au ras de la mer. Pas un nuage dans le ciel, c'est encore une journée torride qui se prépare. Le sergent sort du coffre à vivres une boîte de corned-beef et la passe à l'un des marins du *Singapour,* qui se met à l'ouvrir. Tandis que les yeux des vingt-quatre naufragés suivent le moindre de ses gestes. Une boîte pour vingt-quatre donne à peine une noix par personne, mais c'est ce minuscule viatique qui leur a permis de survivre et d'espérer jusqu'à présent. Mac Douglas a saisi la bouteille d'eau et la cuiller à soupe qui sert de ration modèle depuis le début de leur équipée. Curieusement, c'est la femme du quartier-maître qui l'avait dans son sac, c'est à elle précisément que le sergent la tend en premier.

« Allez, commençons par vous ! »

La femme relève la tête lentement, semblant sortir d'un rêve.

« Allez, prenez ! » répète Mac Douglas.

Mais brusquement, sans que personne ne puisse intervenir tant sa réaction est vive, la femme arrache la bouteille des mains du sergent, bouscule deux matelots et se jette à la mer en appelant son mari. On la voit réapparaître, brandissant la bouteille, pour disparaître aussitôt derrière une vague, et puis plus rien. Alors, dans le silence, une voix ironique s'élève, venant des cinq à l'avant du bateau :

« Plus que vingt-trois ! »

Plus que vingt-trois, et plus un centilitre d'eau douce.

Bien que personne n'ose relever la réflexion, à partir de cet instant Mac Douglas est sûr qu'il va falloir faire quelque chose.

Dans la matinée, un second événement dramatique va d'ailleurs lui forcer la main. L'un des soldats accroupis dans le fond de la barque se relève soudain en hurlant. Comme la scène se déroule à l'avant, Mac Douglas ne discerne pas très bien ce qui se passe. Plusieurs hommes semblent se battre, puis se séparent; le groupe des cinq de l'armée des Indes regagne ses bancs à l'avant du bateau, tandis que l'un des soldats est dirigé vers l'arrière. En le voyant arriver, le sergent a peur de comprendre. Il a une plaie béante au poignet. En quelques mots, le blessé confirme l'horrible vérité : profitant de sa somnolence, les cinq ont essayé de le saigner pour se nourrir de son sang. Devant l'horreur d'un tel acte, Mac Douglas explose :

« Vous croyez sans doute qu'on va vous laisser faire ! »

Pour s'adresser à de tels individus, il retrouve sa voix de commandement. Et il rappelle qu'il a le droit de vie et de mort sur les passagers du canot et qu'il n'hésitera pas à utiliser ce droit. Aux premiers mots, les cinq individus se dressent, menaçants :

« Viens-y donc, pour voir ! »

Mac Douglas fait fonctionner son cerveau à toute vitesse. Il sait que sa réaction doit être immédiate. D'un coup d'œil rapide, il compte les hommes capables de le suivre. Sur dix-sept, il faut exclure les quatre marins du *Singapour,* ce sont des Javanais et ils resteront neutres. Sur les treize restants, quatre sont trop faibles ou trop malades pour réagir, et deux sont lâches. Cela fait sept contre cinq. Le sergent Mac Douglas se décide brutalement, espérant que ces sept-là vont le suivre sans hésiter :

« Allez, les hommes, on ne va pas se laisser tuer comme ça ! »

Quand Mac Douglas enjambe le premier banc, pas un soldat ne bouge. Tête basse, la plupart semblent indifférents au drame qui se joue. Certains jettent un regard vers les cinq salopards bien décidés à vendre chèrement leur peau, des tessons de bouteille à la main. Eux seuls sont armés, donc, et pour eux aussi, c'est tout ou rien. Leur meneur le sait bien qui tente d'influencer la décision des soldats en insultant Mac Douglas.

« Mais regarde-toi, minable, personne ne veut plus de toi et de ta grande gueule... Tu es tout seul ! »

Le sergent le sait lui aussi qu'ils vont passer à l'attaque et qu'il ne faut pas se laisser prendre de vitesse. Toute son expérience de militaire lui ordonne d'attaquer pour conserver l'avantage. Même tout seul. Dans le fond de la barque, il y a une rame, la seule rame qui reste à bord. Mac Douglas s'en saisit et, sautant de banc en banc, se rue vers l'avant en criant.

« Allez, les hommes, c'est eux ou vous cette nuit ! »

La pensée des camarades jetés par-dessus bord pendant la nuit doit réveiller les consciences au moment où Mac Douglas assène son premier coup de rame, car un jeune soldat se jette tête baissée sur le groupe des cinq, puis un deuxième, puis trois, et quatre. Bientôt tout le monde passe à l'action. La mêlée est générale. Au milieu des cris de douleur et des vociférations, on entend la voix du sergent qui hurle de les jeter à l'eau.

Succombant sous le nombre, les cinq insurgés se retrouvent bientôt à la mer. Et c'est alors une scène pitoyable qui se grave à tout jamais dans la mémoire de Mac Douglas. Deux des soldats jetés à la mer sans connaissance ont coulé à pic. Mais les trois autres nagent auprès de la barque, suppliant qu'on les repêche. Poussé par une petite brise, le bateau dérive, et les nageurs s'essoufflent à le suivre. Saisissant un cordage, l'un d'eux réussit quand même à se hisser, il passe une main puis l'autre sur le plat-bord, dans le silence impressionnant qui a succédé au tumulte du combat. Tous les regards se tournent vers Mac Douglas qui fixe le visage suppliant émergeant lentement. A son expression tourmentée, chacun devine le combat qui se livre dans la tête du sergent. Des images défilent à toute vitesse devant ses yeux. Il voit les trois coupables ligotés et attachés dans le fond de la barque. Puis la justice britannique les prendre en charge. Il voit, la nuit, l'un des trois coupables réussir à couper ses liens et libérer les autres. Il voit une attaque surprise et se voit, lui, Mac Douglas, à la mer. Des bruits lui reviennent en mémoire. Il entend le cri inhumain du soldat qui réalise qu'on lui boit son sang. Le bruit des corps se débattant dans la nuit, tandis qu'on les passe par-dessus bord.

Pendant ce temps, à moins de un mètre de lui, l'homme se hisse à la force des poignets, avec l'énergie du désespoir. Il passe son coude derrière le plat-bord tandis que son pied cherche l'appui des cordages. Une dernière image passe devant les yeux du sergent. Il voit les hommes à terre et passés par les armes. Evidemment, il est plus facile de commander un peloton d'exécution que d'assener un coup de rame sur la tête d'un homme, même s'il est condamné à mort. Mais c'est pourtant ce que Mac Douglas va faire. Rassemblant tout son courage, il frappe l'homme au moment où il va prendre pied dans la barque. Pendant quelques longues minutes, on entend les appels et les insultes des deux autres condamnés, et puis plus rien.

Au cours du même après-midi, un navire battant pavillon hollandais, faisant route dans leur direction, aperçoit leurs signaux et met fin à ce cauchemar de sept jours.

Le sergent Mac Douglas continue de se battre. Il connaîtra d'autres aventures. Prisonnier des Japonais, il s'évadera deux fois et résistera à deux mois de cachot, échappant de multiples fois à la mort. Après la guerre, il écrira ses mémoires. De son propre aveu, le souvenir le plus horrible jusqu'à la fin de ses jours dans sa mémoire reste le bruit de la rame frappant le crâne de cet homme qui allait prendre pied dans la barque. Un bruit qui résonne comme une exécution ou un assassinat.

Mais, s'il ne l'avait pas fait, il n'aurait peut-être jamais eu l'occasion de raconter cette force ou cette faiblesse. Une décision se prend ou ne se prend pas, et c'est en de tels moments que bascule le destin.

10

MESSIEURS, VEUILLEZ AGRÉER...

CORNELIUS BENTON est très très fâché.

Cela ne se voit pas sur son visage, parce qu'il a soixante-six ans et qu'il est anglais, mais il est extrêmement mécontent!

Cornelius Benton est un honorable petit facteur retraité. Or, c'est la deuxième fois qu'on le met en prison, alors que durant toute sa vie de facteur londonien il n'a même pas une seule fois traversé en dehors des clous. Quel crime a-t-il donc commis? Il s'est passé que Cornelius Benton, à l'âge de la retraite, est parti en guerre contre la BBC.

En Angleterre, il y a deux télévisions : la nationale, pour laquelle on paie une taxe, et la commerciale qui est gratuite, puisqu'elle vit de la publicité.

Pour la BBC, en 1960 la taxe annuelle est de 5 livres (environ 70 francs français).

Or Cornelius Benton estime que pour les économiquement faibles (dont il est) c'est trop lourd. Il a donc décidé de se contenter des chaînes gratuites, quitte à regarder les publicités. C'est pourquoi, à partir de soixante-cinq ans, il a refusé de payer la taxe, en répondant simplement à la BBC au reçu de sa note :

« Désolé, je ne regarde pas vos chaînes, messieurs, veuillez agréer... »

Après quoi il a refusé de payer l'amende pour « non-paiement de la taxe ». Alors, très dignement, il a fait huit jours de prison en espérant que le *Times* allait parler de sa courageuse détermination, ce qui amènerait les chambres de commerce à dispenser les petits retraités de payer la taxe !

Or, cela n'a rien fait du tout, qu'un entrefilet de deux lignes, en quatrième page.

Bon, très bien, s'est dit Cornelius en sortant de prison, et il a bricolé son récepteur de télévision, il a ôté les boutons permettant de recevoir la BBC, ne laissant que ceux des chaînes commerciales. Et, quand il a reçu la notification d'avoir à payer la taxe, il a répondu :

« Désolé une fois de plus, mais cette fois je ne peux vraiment plus vous recevoir ! J'estime que tous les petits retraités devraient faire comme moi, veuillez agréer, messieurs... »

Résultat : quinze jours de prison !

Cette fois, très irrité en sortant, Cornelius a décidé de passer à l'action. Son objectif : la National Gallery (autant dire le Musée du Louvre britannique).

Il se faufile dans le bâtiment par la fenêtre d'un

lavabo, car le métier de facteur à pied pendant trente ans l'a maintenu en forme et en minceur.

Une fois à l'intérieur, il se promène dans la galerie de peinture, l'œil critique, et fixe son choix sur un portrait auquel il pense que l'Angleterre tient beaucoup : le portrait du duc de Wellington, le vainqueur de Waterloo, peint par Goya. Voilà qui, selon lui, fera très bien l'affaire.

Le tableau n'est pas très grand. Cornelius Benton le décroche et le sort du musée par le même chemin. Puis, comme le tableau le gêne pour prendre l'autobus, il se dirige dans un quartier désert, vers un immeuble en démolition. Là, il détache soigneusement le duc de Wellington de son cadre doré, et, nonobstant l'air un peu prétentieux du vainqueur de Napoléon, le roule comme une affiche et l'emporte chez lui, laissant le cadre là où il est.

Le lendemain, ce vol fait dans toute l'Angleterre un tollé épouvantable. Même le *Times* se trouve littéralement outré. D'abord parce qu'il s'agit de Wellington, ensuite parce qu'il était peint par Goya, enfin parce que l'Etat venait tout juste d'acquérir ce tableau pour la somme de 300 000 livres ! Soit, en 1960, à peu près 420 millions d'anciens francs ! Ceci fait très très mauvais effet sur le moral britannique.

Le gouvernement constitue une commission d'enquête, les frontières sont bloquées, toutes les polices sont sur les dents, mais qui devinerait que le duc de Wellington, enroulé sur lui-même, est au fond d'un placard à chaussures, chez un facteur en retraite ?

Trois semaines plus tard, alors que la police piétine, que les journaux s'épuisent et que la commission bafouille, le directeur de la National Gallery reçoit une lettre ainsi rédigée :

« Monsieur le Directeur,

« J'ai l'honneur de vous faire savoir que je tiens à votre disposition le portrait du duc de Wellington.

« Il a été payé 300 000 livres avec l'argent des contribuables.

« Je vous serais personnellement très reconnaissant si vous consentiez à déposer cette somme à l'endroit que je me permettrais de vous indiquer.

« Elle me servirait à aider les petits retraités comme moi à payer la taxe de la télévision, beaucoup trop lourde pour eux. Ce serait, je le pense, une action estimable de votre part.

« J'espère que ma proposition a des chances de vous agréer.

« Dans l'attente de votre honorée dans les petites annonces du *Daily Mirror*, veuillez agréer, monsieur le Directeur, l'expression de mes sentiments les meilleurs bien qu'anonymes. »

Hélas ! malgré le conditionnel parfaitement courtois de cette mise en demeure, ou peut-être à cause de lui, la police britannique ne prend pas la lettre au sérieux.

Et l'on continue à chercher, on fouille les trains, les navires, et quatre ans passent.

Wellington est toujours dans son placard à chaussures. De temps en temps, Cornelius le déroule pour lui faire prendre l'air.

Il constate qu'il a l'air de plus en plus « coincé », sans doute l'atmosphère du placard. Et il le renroule.

Au bout de quatre ans, finissant par lui trouver l'air franchement réprobateur, voire hostile, et puisque aussi bien l'Etat ne veut pas payer de rançon, Cornelius décide de rendre le duc de Wellington.

Il envoie au *Daily Mirror* un ticket de consigne avec un mot très poli, et l'on trouve le vainqueur de Napoléon dans un casier de la gare de Birmingham. Où, cette fois, il a l'air morose, le cadre ne lui convenant pas du tout.

Voilà qui devrait clore l'affaire. Mais une récompense de 5 000 livres est toujours promise à qui dénoncera le voleur : alors Cornelius calcule. Il faut payer 5 livres par an pour la BBC, 5 000 livres, de quoi payer la taxe annuelle à mille retraités ! C'est mieux que rien. Cornelius Benton s'habille proprement, se présente à un sergent de police blasé, à l'entrée d'un commissariat, ôte son chapeau et dit :

« Je vous prie de m'excuser, je me présente, Cornelius Benton, c'est moi qui ai retenu Wellington, vous savez, le tableau !... Il y a 5 000 livres à qui me dénoncera ! Alors, je voudrais les 5 000 livres ! S'il vous plaît, c'est pour fonder une association de téléspectateurs économiquement faibles, vous comprenez... si l'on considère bien les choses... »

Le sergent n'a pas envie de considérer les choses :

« Circulez !

— Je vous demande pardon, je m'appelle Cornelius Benton !

— Félicitations, rentrez chez vous ! »

Et personne ne veut croire que le petit facteur en retraite a fait courir la police du pays pendant quatre ans ! Nul ne veut croire Cornelius Benton qui se fâche, prouve, démontre, et finalement, il faut s'y faire, on l'arrête et on le juge !

Cornelius est d'abord jugé pour vol. Mais des centaines de petits retraités se sont cotisés pour lui payer les services d'un avocat !

Et l'avocat dit ceci :

« Selon la loi britannique, pour qu'il y ait vol, il faut qu'il y ait eu l'intention de garder l'objet, or Cornelius Benton n'a jamais eu cette intention, bien évidemment, puisqu'il a rendu l'objet en question et l'aurait rendu plus tôt s'il avait pu. »

Agacé sous sa perruque, le représentant de la Couronne rétorque :

« Dans ce cas, Votre Honneur, il doit être condamné pour avoir réclamé de l'argent avec menaces ! »

L'avocat secoue ses manchettes négativement :

« Ah ! mais pardon, voyons la lettre de Cornelius ! *Je vous serais personnellement très reconnaissant si vous « consentiez »... dans un endroit que je vous indiquerais*, ais, au conditionnel !... Des menaces qui se terminent par « veuillez « agréer l'expression », le ton est charmant, Votre Honneur ! Voyez vous-même ! »

Alors, à bout d'arguments, le représentant de la Couronne s'exclame :

« Le cadre ? Qu'est-ce qu'il a fait du cadre du

tableau? La Couronne serait personnellement très honorée de le savoir! »

Le cadre! Cornelius a complètement oublié où il l'a laissé. Quelque part dans un immeuble en démolition, mais où? Impossible de le retrouver à présent. Or, le cadre doré valait 100 livres, soit 140 000 anciens francs environ. C'est pourquoi Cornelius, en désespoir de cause, est condamné à trois mois de prison ferme, pour vol de cadre appartenant à l'Etat.

C'est ce qu'annonce le soir même la BBC, dans son journal parlé, à des milliers de petits retraités qui, dès le lendemain, se cotisent pour rembourser le cadre. Ce qui n'a pas empêché Cornelius de faire les trois mois de prison. Car la loi c'est la loi!

Mais après l'affaire Cornelius Benton, la taxe de la télévision a été supprimée en Angleterre pour les économiquement faibles.

Alors Cornelius, sorti de prison, a réparé les boutons de son récepteur et a consenti à regarder la BBC, trouvant qu'après tout sur les chaînes commerciales (il n'avait jamais voulu le dire) il y avait trop de publicité pour des produits inaccessibles aux petits retraités.

11

LES MIRACLES
N'ONT LIEU QU'UNE FOIS

A Nemsos en Norvège, en cette nuit d'hiver, la boîte de nuit est pleine à craquer. Sur la minuscule piste de danse, les couples sont si serrés les uns contre les autres qu'ils ne dansent plus, ils ondulent au rythme de succès américains, traduits avec plus ou moins de bonheur. Aksel Scott sourit à Sigrid, sa partenaire. Il lui sourit avec patience et courtoisie, car en réalité tout cela ne l'amuse guère.

Comme la danse s'achève et que la jeune fille regagne leur table, Aksel s'excuse et effectue une percée en direction des toilettes. Il fait une chaleur insupportable, et un peu d'eau fraîche sur les joues et le front lui fera le plus grand bien. Au moment où il se penche sur le lavabo, une énorme bouffée de chaleur l'enveloppe tout à coup, suivie de hurlements épouvantables. Aksel relève la tête et, par le hublot de la porte, voit des flammes.

Pour une raison inconnue, la boîte de nuit vient de s'enflammer comme une poignée de copeaux de bois, et en une seconde c'est l'épouvante. Les flammes courent le long des guirlandes et se transmettent partout à la fois. Le plafond, les murs, les nappes, les décorations, tout n'est que brasier, et la ruée vers les issues de secours est indescriptible. Dans un réflexe immédiat de survie, les hommes se transforment en bêtes fauves qui griffent, mordent, frappent pour se frayer un passage. Malheur à celui qui tombe, il est aussitôt piétiné, homme ou femme, et ce sont pourtant les mêmes individus qui, quelques instants auparavant, usaient de séduction les uns envers les autres.

En sortant des toilettes, surpris, Aksel se heurte à cette marée hurlante. Il voudrait bien aller chercher Sigrid, mais il ne peut pas. Emporté, soulevé littéralement du sol, il se retrouve en quelques secondes sur le trottoir. Une fumée âcre et épaisse s'échappe en même temps que cette horde humaine de la porte principale.

Aksel cherche immédiatement l'accès aux issues de secours.

Près de la table qu'il occupait précisément, il y en avait une à gauche. Le jeune homme se rue dans la cour où, justement, la porte est ouverte; mais des flammes s'en échappent. Sans réfléchir au danger, son bras replié devant son visage, comme un bouclier dérisoire, Aksel bondit dans le brasier. Il voit des formes étendues à terre. Alors, au hasard, il saisit l'un des corps, le charge sur son épaule et ressort le déposer dans la cour.

A quatre reprises, des témoins voient ce jeune homme de vingt ans plonger à travers le rideau de flammes et ressortir avec une personne sur son dos. Son pantalon est en feu, le revers de sa veste brûle et fume, mais Aksel semble ne pas s'en apercevoir. La quatrième personne n'étant toujours pas Sigrid, il veut encore pénétrer une nouvelle fois dans la fournaise, mais il a trop présumé de ses forces et s'écroule sur le sol avant d'avoir fait dix pas.

Lorsqu'il est transporté à l'hôpital avec les autres blessés, les infirmières le mettent à part, car le médecin-chef qui a passé tous les brûlés en revue a déclaré :

« Celui-là peut attendre, il ne passera pas la nuit. »

Aksel n'a plus rien d'un être humain. Son pauvre corps est entièrement boursouflé. Par endroits, vêtements et peau sont tellement imbriqués qu'il est impossible de savoir où commencent ceux-ci et où finit celle-là. Au thorax et au menton, la chair est si profondément atteinte qu'elle laisse deviner par endroits la blancheur des os.

De toute évidence, et quoi que l'on fasse pour lui, le jeune homme est condamné. Mais, au fil des heures, son cœur continue de battre et ses poumons de respirer. Les médecins harassés, qui ont opéré les cas les plus urgents, s'occupent enfin de lui. Toute la nuit, des infirmières se relaient à son chevet, s'attendant à le voir mourir d'une heure à l'autre, car de l'avis du médecin-chef aucun brûlé dans cet état n'a réussi à survivre plus de quelques heures.

Or, le lendemain matin, Aksel respire encore. Un éminent spécialiste mandé à son chevet l'examine longuement et déclare que le malade ne semble pas avoir absorbé une grande quantité de gaz toxique, ce qui est l'élément le plus mortel dans les cas de brûlure, et ajoute qu'à son avis il est possible de tenter de le sauver en employant tous les grands moyens. Alors commence une lutte pour la vie qui va durer des semaines. Jour après jour, heure après heure, des infirmières vont et viennent, attentives au moindre gémissement, surveillant le pouls, la respiration, et nettoyant sans relâche chaque centimètre de peau brûlée. A l'hôpital, personne n'arrive à comprendre comment il se fait qu'un homme dans un tel état ne soit pas encore mort. Et pourtant, chaque matin à la visite, le professeur Cristiansen qui l'a pris en charge constate cette chose incroyable : il vit. Et il fait mieux que vivre. Douze semaines plus tard, ce corps inerte, jusque-là insensible, bouge imperceptiblement. Parallèlement à la cicatrisation qui commence à se faire, Aksel Scott sort du coma pendant quelques courts instants, mais les douleurs qu'il endure le replongent aussitôt dans l'inconscience. Et puis, un jour, il parle. C'est à peine un balbutiement, et l'infirmière s'approche, en tendant l'oreille, soucieuse de rapporter au professeur ses premiers mots, preuve d'un nouveau progrès sensible.

« J'ai trop mal », dit Scott dont les yeux ne

sont que souffrance, et il ajoute avant de s'évanouir à nouveau :

« Achevez-moi ! »

Car rien n'est plus insupportable que les souffrances des grands brûlés. Tout un chacun s'étant malencontreusement brûlé un seul doigt peut l'imaginer, lorsque chaque centimètre de la peau du corps est atteint. Il est des hommes qui ont, dit-on, l'âme chevillée au corps, et c'est sans aucun doute le cas d'Aksel Scott, dont la première reprise de conscience fut pourtant de réclamer la mort. Car, une fois amorcé, le rétablissement est spectaculaire. Comme ces fleurs de printemps qui s'ouvrent à vue d'œil dès que le soleil paraît enfin après un long hiver. La cicatrisation va se faire partout à la fois. C'est alors que le professeur Cristiansen et son équipe de chirurgiens vont compléter le processus amorcé par la nature : en vingt et une séances de minutieux travail chirurgical, ils vont prélever, sur les parties non brûlées du patient, près de trois mille greffons de peau pour les transplanter sur les parties brûlées. Trois mille petits morceaux de peau, guère plus gros que l'ongle du petit doigt, placés les uns à côté des autres, comme les morceaux minuscules d'un puzzle de chair. Et petit à petit ils vont s'étirer, se souder pour reformer cette pellicule fragile mais protectrice sans laquelle l'homme ne peut pas vivre.

Et c'est ainsi que le miracle a lieu, lentement. Un an après son entrée à l'hôpital, lors de cette nuit tragique, Aksel Scott revient chez lui entièrement refait à neuf, et, mis à part une cicatrice visible au menton, il est redevenu un homme comme les autres. Le sourire d'adieu qu'il adresse à ses infirmières en les quittant ne les laisse pas indifférentes. Aksel Scott a même retrouvé son charme.

Après quelques mois de convalescence, il retrouve son travail de contrôleur de coupes, c'est-à-dire qu'il choisit et désigne les arbres à abattre dans la forêt.

Et la vie reprend comme avant. Aksel retourne dans les boîtes pour danser. Il est resté en relation intime avec l'une des petites infirmières de l'hôpital d'Oslo, dont les parents vivent à Nemsos, non loin de chez lui. Un vendredi soir, ils vont passer tous deux la soirée dans une nouvelle boîte qui vient d'ouvrir, à quelques kilomètres de là. Et, vers quatre heures du matin, Aksel raccompagne la jeune infirmière chez ses parents. Sur le chemin du retour, fier de sa parfaite réadaptation à la vie, le jeune homme conduit « sportivement », virages et dérapages contrôlés, coups de frein, accélérations... Riant de tous leurs vingt ans, les deux jeunes gens ne pensent pas au danger lorsque, tout à coup, c'est l'accident. La voiture monte sur le bas-côté, bascule sur le toit et fait une série de tonneaux avant de s'immobiliser roues en l'air contre un arbre. Sous la violence du choc, le réservoir explose et l'essence se répand dans la voiture. Ayant gardé toute sa lucidité, malgré la violence du choc, Aksel réussit à sortir du véhicule. Légèrement commotionnée, la jeune infirmière est restée à l'intérieur, et la portière est coincée. Le jeune homme casse une des glaces, parvient à l'extirper du tas de ferraille, dont finalement ils sortent tous les deux sains et saufs. C'est un deuxième miracle. Et c'est alors que la jeune fille dit :

« Mon sac! »

Le sac est resté dans la voiture. A quatre pattes, Aksel se tortille entre les tôles, il tient déjà le sac et commence à sortir à reculons lorsque, brusquement, en une explosion sourde, le véhicule prend feu.

Quelques instants plus tard, lorsqu'une voiture s'arrête sur les lieux du drame, la jeune fille est évanouie, ses mains atrocement brûlées ont tenté vainement de sortir des flammes le corps de l'homme qu'elles avaient aidé à ressusciter.

Ainsi mourut Aksel Scott, le miraculé des flammes, qui faisait passer le souci des autres avant le sien, jusqu'au mépris le plus total du danger. Il avait vingt-trois ans. L'âge où l'on joue encore avec le feu au risque d'en mourir.

12

LA CHARGE DES ÉLÉPHANTS

Le grand cirque qui s'est installé dans la forêt canadienne est venu de Minneapolis par le Pacific Railways. Un trajet long, pénible et éprouvant pour la troupe, qui n'est soutenue que par un seul espoir : gagner l'argent nécessaire à une tranquillité de quelques semaines. C'est un cirque gigantesque comme il n'en existe plus. Un de ces cirques du début du siècle, où se mêlent tous les spectacles, faux monstres humains, vrais tigres sauvages, colosse briseur de chaînes et clowns tristes.

Le cirque s'est installé dans le petit bourg de Winnipeg, à l'orée de la forêt canadienne, et cette idée fabuleuse, c'est l'idée du directeur, M. Bartle.

A Winnipeg et dans la région travaillent un millier de bûcherons. Un millier d'hommes qui, durant six mois de l'année, vivent coupés du monde, sans distractions, coupant, sciant et traînant le bois comme des bêtes de somme.

A 1 dollar la place, le cirque fera une recette de

1000 dollars, car ils viendront tous. M. Bartle estime d'autre part au double la recette des baraques foraines. Il n'est même pas besoin de publicité. Le tam-tam entre bûcherons a fonctionné. Il a résonné dans toute la forêt à 100 kilomètres à la ronde. Et, le dernier dimanche de l'été 1911, ils sont mille, comme prévu, à un ou deux colosses près. Mille bûcherons, hommes des bois, trappeurs, qui envahissent le bourg où le cirque a monté sa toile. Le spectacle est prévu pour trois heures de l'après-midi, mais la fête commence dès le matin. Une fête de bûcherons canadiens, brutale, énorme, arrosée de tonneaux de bière, émaillée de coups de poing et de bagarres, de hurlements de joie. C'est un spectacle étonnant que ces mille colosses lâchés pour une journée de plaisir, et dont le plus chétif couperait un tronc d'arbre à la hache en vingt minutes.

Depuis des mois et des mois, ces hommes n'ont fait que couper, tailler et traîner les troncs jusqu'aux rapides. Ils n'ont connu ni femmes ni plaisir, ils n'en connaîtront pas d'autres avant l'hiver.

Les mille braillards, ivres de bière mousseuse, se répandent entre les roulottes, inspectent les lions en cage, les panthères, les ours, les clowns. Ils applaudissent à tout, jouent à tout, dépensent sans compter, et M. Bartle, le directeur, se frotte les mains, ce en quoi il a tort. Vers deux heures de l'après-midi, quelques bûcherons s'agglutinent près d'une baraque foraine, comme des mouches sur un pot de miel. Car il y a là matière à défoulement.

Un petit homme muni d'un porte-voix harangue les spectateurs en présentant un colosse baptisé

Hercule. Cet Hercule roule des biceps impressionnants. Il s'agit de le battre et de lui faire toucher les épaules en moins de cinq minutes. Les concurrents sont nombreux, et les paris s'engagent entre bûcherons. Rapidement, quelques coups de poing aident à la discussion, puis le champion grimpe sur le ring, soutenu par des hurlements de joie. Il s'appelle Arthur Legentil : 1,90 m, 110 kilos et une bonne tête de bélier taillée dans la masse. Hercule est du même gabarit, mais il a du métier et l'habitude des combats de foire.

Au début du combat, ils sont une vingtaine à hurler, puis cent, puis deux cents. Puis ils se marchent les uns sur les autres, grimpent sur les charrettes. Bientôt le vacarme est tel que l'on ne sait plus qui encourage qui et qui a parié sur qui.

Sur le ring, tous les coups sont permis. Hercule soulève Arthur et s'en sert comme d'une vulgaire balle. Arthur piétine Hercule et lui saute sur le ventre en hurlant de joie... Mais les minutes passent et personne ne gagne. Les combattants ont le nez en sang, les yeux fermés, ils écument comme des chevaux de trait, mais, au bout de cinq minutes, le petit arbitre cogne avec soulagement sur le gong. Le combat est fini, et il déclare Hercule vainqueur, d'une voix aigrelette mais définitive. Un grondement de protestation monte alors de centaines de poitrines. Hercule n'a pas gagné, personne n'est tombé, et les bûcherons ne sont pas d'accord sur la durée du combat. Cinq minutes ne leur conviennent pas. C'est un temps ridicule selon eux. Mais le petit arbitre insiste et cogne sur le gong comme un fou ! Car il ne veut .

pas payer les 20 dollars d'enjeu! Il n'en est pas question! D'ailleurs, il ne les paie jamais, puisque son Hercule gagne toujours. Alors il prétend que Hercule a gagné puisqu'il n'est pas tombé! Sa théorie est assez logique, puisque l'enjeu du combat était bien de faire toucher les épaules du colosse en cinq minutes. Il a donc raison, ce brave petit arbitre. Mais il est bien imprudent pour 20 malheureux petits dollars. Car son obstination déclenche une véritable émeute. On ne sait pas qui arrache le petit arbitre de son gong, mais le voilà qui disparaît, happé par une dizaine de bras de bûcherons. Et le combat reprend sans lui, sur le ring et hors du ring, car tout le monde n'est pas d'accord sur le même désaccord...

Sentant venir le désastre, M. Bartle, le directeur du cirque, fait sonner les tambours pour annoncer le spectacle et envoie quelques hommes de piste pour tenter de ramener le calme. Peine perdue. Les bûcherons furieux se retournent contre les nouveaux venus, et la bagarre cette fois devient bataille rangée, avec d'un côté les brutes canadiennes et de l'autre les « sales yankees ». Mille d'un côté, une quinzaine de l'autre. Alors, affolé, M. Bartle fait donner le gros de la troupe : ses trapézistes, jongleurs, équilibristes et autres clowns, tous les soixante-quinze membres du personnel du grand cirque Bartle se jettent dans la bataille, et même M. Cecil B. de Mille n'aurait pas mieux fait à Hollywood!

Les baraques foraines volent en éclats, les buveurs cassent leurs tonneaux de bière sur la tête d'autres buveurs. On ramasse tout ce qui peut faire une arme : fourche, piquets, corde, marteaux ou pioches. L'unique lieutenant de la police montée qui tente d'arrêter l'émeute est jeté à bas de son cheval, et les six hommes qui l'accompagnent sont assommés à coups de barre de fer.

La foule des bagarreurs envahit maintenant le chapiteau. L'un des mâts oscille dangereusement, puis un autre. Les câbles lâchent, et la toile gigantesque du cirque Bartle vacille, flotte quelques secondes comme un grand aéronef et s'écroule bientôt sous la formidable poussée de mille bûcherons en colère. La catastrophe ne calme personne, bien au contraire. Les deux camps continuent à se battre à l'aveuglette, et une véritable folie a gagné les bûcherons dont la plupart sont ivres. La peur des autres a fait le reste. C'est un véritable massacre. Le pire est que les trois quarts des combattants ne savent même pas pourquoi ils s'entre-tuent. C'est alors que M. Bartle, réfugié sous une roulotte, voit soudain jaillir l'incendie. Volontaire ou non, il gagne rapidement du terrain, dévore la tente et court le long des baraques de bois. Or tout est en bois à Winnipeg. Et la forêt encercle le bourg. Si le feu gagne les arbres, il n'y aura plus un survivant pour raconter le désastre...

D'ailleurs, il y a déjà des morts, étouffés, piétinés, sur lesquels les hommes continuent de se battre, et M. Bartle se sauve. Il se sauve en direction de la gare où se trouvent les wagons des animaux. Car une idée désespérée lui est venue, celle de lâcher les fauves. Lâcher ses fauves à lui, les vrais, pour calmer les autres, les hommes. Dans quelques minutes, il n'aura même plus de personnel, du train où va la bataille, alors il faut faire quelque chose, il ne peut pas laisser ses hommes se faire tuer sans agir.

M. Bartle se glisse le long des rails, ouvre les cages et hurle pour faire sortir les bêtes apeurées et méfiantes à qui personne, jamais, n'a ainsi ouvert la porte : six lions, deux tigres, deux panthères, quatre hyènes, des loups et des ours blancs se jettent dans la mêlée, encouragés par les cris de M. Bartle...

D'abord surpris, les bûcherons font face, car ils sont trop pour avoir peur. Armés de piques, de fourches, de couteaux et de barres de fer, ils affrontent les bêtes sauvages. Et ils grondent plus fort que les fauves... M. Bartle peut voir les lions s'enfuir comme des chats et les tigres reculer devant cette marée humaine. Une panthère est piétinée par dix hommes à la fois. Un bûcheron se bat seul avec une hyène, au corps à corps, et personne ne connaîtra l'issue du combat, car homme et animal sont écrasés par la foule et submergés. C'est l'enfer. M. Bartle voit courir çà et là un clown déchiqueté, une danseuse folle de terreur, un gamin en larmes..., et les bûcherons avancent vers lui à présent. Ils veulent détruire tout. Le cirque, la ville, la fête s'est transformée en fin du monde.

Alors, M. Bartle pense à une dernière chose. C'est un dernier recours, une dernière idée. Elle est aussi énorme que cette énorme foule de mille bûcherons furieux. C'est une idée qui pèse des tonnes : les éléphants. Ils sont cinq. Ils sont parqués là-bas, sous une autre tente, avec leurs cornacs, à 200 mètres, et on les entend barrir d'énervement.

M. Bartle court comme un dératé. C'est sa dernière chance, même si elle est folle. Il faut décider les cornacs, il faut charger l'armée des bûcherons.

Lentement, la première bête obéit, trompe dressée, et les autres suivent. Perchés sur les énormes cous, les cornacs en costume hindou manœuvrent 7 tonnes de muscles et de peau d'un simple claquement de langue. Et cinq fois 7 tonnes, lancées à 40 à l'heure, marchent sur une foule compacte surprise, incapable de fuir, pour l'écraser, inexorablement.

Que faire contre ces mastodontes que rien n'atteint, menés par des hommes inaccessibles ? Rien. Les bûcherons, cette fois, reculent dans l'affolement, mais il est trop tard. C'est effrayant ce que peut piétiner un rang de cinq éléphants d'Asie en l'espace de quelques minutes.

Alors il fallut bien compter les morts, dans le petit bourg de Winnipeg. Beaucoup plus tard, M. Bartle fut lui-même condamné à mort par un tribunal canadien : coupable d'avoir voulu distraire mille bûcherons sauvages un dimanche d'été 1911. Coupable d'avoir lâché les éléphants, faisant douze morts et des centaines de blessés.

A Winnipeg, quelques enfants devenus vieux se souviennent encore de la charge des éléphants. Et on la raconte quelquefois aux touristes bien sages.

13

LA MORT A L'ENVERS

FRANÇOISE MOREAU a vingt-sept ans et vit à Robert-val, au Québec. Jusqu'au 17 janvier 1948, elle y vivait, car ce jour-là, et à 13 h 22 très exactement, la voiture qu'elle conduit est heurtée par un énorme camion. Françoise a la poitrine enfoncée par le volant, sa tête s'est fracassée contre le pare-brise. Elle ne respire plus, son cœur ne bat plus. Françoise est morte, tuée sur le coup en apparence, car en réalité Françoise est dans une sorte de coma ou de léthargie qui ressemble à la mort. Or non seulement elle n'est pas morte, mais elle est consciente, et c'est cela le pire. Elle entend tout ce qui se dit autour d'elle. Elle entend le craquement de la portière de sa voiture que l'on force avec un levier pour la dégager des ferrailles tordues. Elle entend quelqu'un dire : « Allez-y doucement. »... Puis une autre voix qui s'interpose : « Ne la touchez pas, on ne sait jamais... Attendez l'ambulance. »

Pendant ces premières minutes, Françoise

Moreau se dit simplement qu'elle est blessée. Et, lorsqu'elle entend la sirène de l'ambulance, elle se dit : « Ça y est... ils vont me sortir de là... J'ai de la chance, la voiture n'a pas flambé », mais elle est incapable de faire un mouvement.

C'est en se sentant extirpée de la voiture, puis allongée sur une civière, qu'elle commence à se demander ce qu'elle a exactement. C'est bizarre, car elle n'a mal nulle part. Elle ne serait donc pas blessée. Mais pourquoi se sent-elle paralysée ? En fait, Françoise a un traumatisme crânien et plusieurs côtes cassées. Et elle ne sent rien, justement parce qu'elle est paralysée.

L'explication médicale serait longue, et il n'est pas sûr qu'elle serait exacte, car les médecins souvent ne comprennent pas grand-chose à ce genre de coma. Mais, quoi qu'il en soit, pour Françoise Moreau cela devient terrifiant. Elle a l'impression de ne plus respirer, ce qui est presque le cas. Elle est absolument incapable de bouger d'un millimètre, ce qui est le cas, mais elle est parfaitement lucide et entend tout ce qui se dit autour d'elle avec netteté. Et voici qu'elle entend une voix d'homme prononcer cette phrase :

« Trop tard... elle est morte, emmenez-la à la morgue... »

Elle a réellement entendu « emmenez-la à la morgue » et fait à ce moment un terrible effort de volonté pour bouger, pour protester :

« A la morgue ? Mais vous êtes fous, je suis vivante ! »

C'est ce qu'elle voudrait crier, mais son cri, son indignation, tout cela reste à l'intérieur d'elle-même. Alors elle consacre désespérément sa volonté à essayer de respirer. Si seulement elle pouvait faire entrer un peu plus d'air dans ses poumons, elle est sûre que tout le reste suivrait, qu'elle pourrait bouger, parler ! Mais pas un muscle ne veut bouger, et c'est un sentiment d'impuissance absolument atroce.

D'autant plus que Françoise a les yeux ouverts. Elle voit le ciel et le haut d'un immeuble, une tête qui se penche sur elle, tout cela un peu flou, mais elle le voit ! Et elle le voit droit devant elle, dans l'axe de son regard grand ouvert, mais elle ne peut pas bouger les yeux. Ils sont fixes, elle ne peut pas suivre les choses du regard. Alors, quand elle se sent soulevée comme on soulève une morte, elle comprend vraiment que POUR LES AUTRES elle EST morte, et que si rien ne se passe en elle, si elle ne peut, par sa volonté, faire comprendre qu'elle est vivante, ne serait-ce que par un signe..., elle est perdue ! Quelqu'un essaie sans y parvenir de lui clore les paupières sans se rendre compte à ce moment précis qu'elle hurle intérieurement. Un quart d'heure plus tard, elle en est à se demander si tout cela est réel, si ce n'est pas un cauchemar.

A-t-elle vraiment eu un accident, est-elle en train de rêver ? Le temps passe. Un homme vient de coucher le corps de Françoise dans un tiroir de la morgue. Quelques heures ont dû passer. L'homme referme le tiroir. Françoise est dans le noir, dans le froid. Combien de temps, elle ne sait pas. Une éternité. Puis voilà que quelqu'un ouvre à nouveau son tiroir. C'est sa famille qui est là, venue de Montréal pour la reconnaître. Françoise ne voit qu'un plafond, et ce qui lui semble être un tube de néon. On vient de soulever le drap qui recouvrait son visage. Elle entend sangloter. Elle comprend que sa famille est là, en reconnaissant la voix de son père disant :

« Viens, ne restons pas là. »

Puis sa mère entre deux larmes :

« Pourquoi ne lui a-t-on pas fermé les yeux ? Fermez-lui les yeux, s'il vous plaît. »

Il est impossible de décrire ce que ressent Françoise à ce moment-là. Elle sait qu'elle n'est pas morte, puisqu'elle est en train de se dire qu'elle ne l'est pas. Et elle assiste à sa propre mort, en s'accrochant à l'idée que c'est impossible, puisqu'elle réfléchit... Et puisqu'elle réfléchit, c'est qu'elle est vivante ! Elle voit, et les autres ne la voient pas. Combien de temps s'évanouit-elle ? Elle éprouve plus tard un sursaut de conscience en se sentant soulevée, puis déposée dans ce qu'elle comprend être un cercueil !

Ce qui domine en elle à ce moment, c'est une rage terrible. Il est impossible qu'on l'enferme là-dedans. Elle vit ! Elle ne vit que de cette rage immobile, mais elle vit ! Son corps existe, mais personne ne peut imaginer une seule seconde, à voir ce cadavre, qu'il y ait autre chose à faire que de l'enterrer. Et le couvercle du cercueil se referme. Et Françoise s'en rend parfaitement compte. Alors il faut croire qu'à partir d'un certain degré de concentration de la volonté, cette volonté dans certaines conditions peut influer sur le corps. Françoise va enfin réagir.

Est-ce la peur, la rage, la colère ou l'instinct de survie ? C'est en tout cas au moment où l'on commence à visser le cercueil que Françoise pousse un cri ! Ce cri est comme une porte qu'elle a réussi à ouvrir dans le cauchemar qui la paralysait. Tandis que tout le monde se précipite, elle parle, elle parle comme une somnambule. Elle n'a pas vraiment repris conscience, mais elle se met tout à coup à raconter tout ce qu'elle vient de vivre et de subir, par bribes, par images : le choc, les voix autour d'elle, l'ambulance, le tiroir de la morgue, le froid, le noir, le cercueil, la peur, l'horrible peur du trou dans la terre...

Elle dit même, et c'est affolant : « Je suis dans un cercueil »... car elle est tout juste capable d'exprimer sa situation. Elle se décrit. Elle décrit tout ce qui était resté bloqué ! depuis l'accident !

Elle ne donne pas l'impression de s'adresser vraiment à l'entourage, c'est un monologue, libérateur, une sorte de reportage extraordinaire de la mort, par une morte.

Alors bien sûr, immédiatement, on s'affaire, on la transporte à l'hôpital. Parents, amis, tout le monde est bouleversé, terrifié à l'idée de ce qu'ils ont failli faire, enterrer une morte vivante !

Dans l'ambulance qui la transporte, Françoise répète plusieurs fois comme une litanie :

« Je suis vivante... Je suis vivante... Je suis vivante... »

Mais, deux heures après, elle est morte.

Et cette fois on aura beau vérifier plutôt dix fois qu'une, d'électrocardiogramme en électroencéphalogramme, c'est fini. Il faut se rendre à l'évidence.

Françoise ne pense plus à rien.

Et personne ne saura jamais si, cette fois-là, elle s'est vue mourir.

14

LUDWIG
ET LES QUATRE SŒURS SCHLAF

Il aura fallu à ce pauvre M. Ludwig atteindre l'âge de quatre-vingt-trois ans pour essuyer son premier échec amoureux. Or, on a beau être à la retraite depuis quinze ans, on n'en est pas moins homme. Et voilà certes une belle atteinte à son orgueil de mâle. Hildegarde vient à l'instant de lui refuser sa main, tout net :

« Non, Ludwig, je ne vous épouserai pas. »

Ludwig pense que cette petite Hildegarde est une pimbêche. Qui se croit-elle donc, à soixante-sept ans, pour refuser de la sorte un homme qui a consacré sa vie amoureuse au service de sa famille ? Ludwig ira chercher quelqu'un d'autre. A Munich, ce ne sont pas les femmes qui manquent, et les agences matrimoniales regorgent de soupirantes.

M. Ludwig raconte donc sa vie, qu'un homme grave et pénétré de sa mission met en fiche, pour le compte de l'agence Hyménée. L'agence Hyménée veut tout connaître du passé de ses clients, et M. Ludwig remonte à son premier amour.

Il a vingt-deux ans lorsque, juste avant la guerre de 14, il fait la connaissance de la famille Schlaf. Ludwig est un garçon de café, et c'est entre une bière, un chocolat et quatre citronnades qu'il découvre Magrett Schlaf. Magrett est dans la splendeur de ses vingt printemps : yeux pervenche, nattes blondes et un délicieux petit nez. A la faveur d'une citronnade renversée, juste ce qu'il faut, sur la robe de la jeune fille, Ludwig saisit l'occasion de faire connaissance.

Le dimanche suivant, précédé d'un énorme bouquet de roses, le garçon de café, en tenue civile fort classique, débarque dans la famille Schlaf.

D'emblée, Ludwig séduit la mère, et, comme il se révèle fort disert, on l'invite au dessert pour le dimanche suivant.

Deux mois plus tard, il épouse Magrett Schlaf.

Pour les parents, c'est « une de casée ». Les temps sont durs quand on n'a pas de dot à donner, quatre filles, et que des bruits de guerre commencent à circuler, ce qui ne motive pas les prétendants au mariage.

C'est en pleine lune de miel que Ludwig doit troquer le tablier de garçon de café contre la tenue vert-de-gris, et passer de la chope à la grenade.

La pauvre Magrett, pendant ces quatre années de grande guerre, ne va connaître que des étreintes trop brèves issues de quarante-huit heures de permission. Ou l'attente contemplative au pied

110

d'un lit d'hôpital, lorsque Ludwig sera blessé dans la Somme et qu'elle viendra lui tenir la main.

En 1918, les jeunes mariés peuvent enfin profiter du bonheur conjugal.

Hélas! dès 1919 la pauvre Magrett se révèle en mauvaise santé. Et, en 1920, elle se couche pour s'éteindre de langueur en novembre de la même année. Chez les Schlaf, c'est la consternation. Ludwig pleure dans le giron de sa belle-mère qui, au vu de sa détresse, lui dépêche l'aînée de ses filles pour les travaux ménagers qu'un homme, même veuf, ne saurait accomplir. Et c'est ainsi qu'en mars 1921 Thérésa, l'aînée des Schlaf, devient officiellement et tout naturellement la seconde épouse de ce cher M. Ludwig. La famille retrouve ses repas du dimanche avec bonheur. M. Schlaf peut reprendre ses parties de jacquet avec son gendre. Et Mme Schlaf continue de laver les chemises de son beau-fils, ce qui lui rembourse intégralement son savon.

Thérésa n'a rien à voir avec sa défunte sœur. Autant celle-ci était fragile et discrète, autant celle-là est exubérante, et d'une santé à toute épreuve. Le pauvre Ludwig ne tarde guère à s'essouffler. Cette chère Thérésa ne lui laisse pas un soir de repos. « Tu m'as voulue, tu m'as eue », serait son slogan favori. A peine rentré du travail, le pauvre garçon de café se voit dans l'obligation d'ingurgiter l'un de ces plats bien épais qui tiennent au corps et sont censés donner des forces.

Thérésa veille amoureusement sur son appétit :
« Allez, mange, tu en as besoin. »

Ludwig a beau prétexter qu'il a déjà grignoté à la brasserie, Thérésa ne veut rien entendre :

« Mange, c'est pour ton bien. »

De son côté, elle dévore. Le mariage l'a transformée en ogresse. Et, dès que le jeune marié a terminé péniblement sa tarte aux myrtilles :

« Allez, au lit. »

Ludwig essaie parfois d'insinuer qu'une promenade digestive leur ferait le plus grand bien, mais peine perdue. Son épouse veille sur sa santé à sa manière, son cher mari doit se reposer, elle le trouve si fatigué. Et Thérésa le cajole, le borde, le déborde, le couvre de baisers, multiplie les attentions charmantes. Il lui arrive même de le réveiller la nuit pour lui prouver combien elle est heureuse dans ses bras. Au fil des mois, sa passion dévorante pour ce cher Ludwig devient tentaculaire. Elle vient le chercher à la sortie de son travail, et tous ses collègues peuvent la voir, assise sur le banc de l'autre côté de l'avenue, lui faisant de grands signes de la main gauche et engloutissant de la droite le kilo de petits gâteaux qu'elle achète chaque soir pour tromper sa faim.

Au bout d'un an, Ludwig, lui, a perdu cinq kilos. Il marche dans la rue, soutenu par une épouse qui, elle, se porte comme un charme. Il n'est plus que l'ombre de lui-même. M. Schlaf, qui craint pour la santé de son gendre, lui envoie son ami, le docteur Muller, qui diagnostique une dépression nerveuse et un surmenage.

Il faut à Ludwig du repos. Mme Schlaf préconise la chambre individuelle, et Ludwig saute à pieds joints sur l'occasion. Pendant trois mois, il se refait ainsi une santé, et il était temps. C'est à partir de là que Thérésa commence à s'assombrir. Elle, si gaie, si turbulente, devient taciturne dans sa chambre à part. Son rire énorme qui forçait le rire des autres n'est plus qu'un sourire désabusé. Seul, son appétit reste intact. Il aurait même tendance à progresser quelque peu.

Au fil des années, Thérésa prend un embonpoint inquiétant. Mme Schlaf a beau sermonner sa fille, la supplier de moins manger, rien n'y fait. En perdant sa bonne humeur, Thérésa gagne de la mauvaise graisse.

Et puis un soir, alors qu'elle engloutit une potée aux choux, Ludwig voit sa deuxième femme porter la main à sa gorge et se lever en suffoquant. Son visage tourne au rouge, puis au bleu, et sans un mot, sans un cri, elle s'écroule à la renverse. Ludwig est veuf pour la deuxième fois.

Lorsqu'il épouse Marika, la cadette des sœurs Schlaf, Ludwig atteint le sommet du bonheur, car elle n'a rien à voir avec les deux premières. Fine, cultivée, la nouvelle Mme Ludwig adore la musique, elle joue délicieusement du piano, et Mme Schlaf offre le sien en cadeau de mariage.

Le voyage de noces est prévu pour l'Italie : Venise, Rome, Florence, Padoue.

Hélas ! le mariage a eu lieu en 1939, c'est la guerre, et il faut remettre tous ces beaux projets à une date ultérieure.

Dans sa chambre à coucher, Ludwig accroche sa photo de mariage à côté des deux premières. Une jeune mariée quadragénaire ne peut être jalouse des deux premières femmes de son mari

113

quand elles sont également ses sœurs. Mobilisé dans l'Organisation Todt, Ludwig vient faire un séjour prolongé à côté de Dunkerque. Entre deux caissons du mur de l'Atlantique, il rejoint la famille Schlaf qui s'est regroupée chez lui.

Fait prisonnier à Caen, libéré à Châlons, M. Ludwig rentre à Munich et retrouve la famille Schlaf, sortie miraculeusement indemne du désastre. Alors, pendant trente ans, Ludwig et Marika vont vivre une existence aussi calme que paisible, et puis, en janvier 1976, Marika qui a oublié d'acheter du sel sort sans manteau et prend froid : broncho-pneumonie, hôpital, complications... M. Ludwig est veuf pour la troisième fois.

Voilà pourquoi, le plus naturellement du monde, ce grand consommateur de demoiselles Schlaf a cru bon de demander la main de Mlle Hildegarde Schlaf, la quatrième et dernière, qui, prudemment, a refusé.

Elle n'est pas superstitieuse, mais elle a refusé.

A l'agence Hyménée, ce brave M. Ludwig examine les photos des cœurs à prendre, et son œil s'illumine soudain à la vue d'un visage.

« Celle-là », dit-il en pointant un doigt plein d'ardeur.

Le représentant de l'agence Hyménée tente de lui faire remarquer qu'il reste encore une vingtaine de dossiers à consulter.

« Non, non, répète Ludwig, c'est celle-là que je veux », et il ajoute, à la plus grande surprise de l'employé des pompes matrimoniales :

« C'est une Schlaf ! »

De fait, il existe une vague ressemblance entre la dame du fichier et feu les épouses du sémillant octogénaire. Bouillant d'impatience, Ludwig fait rapidement sa connaissance. Elle s'appelle Edweg, elle a cinquante-neuf ans et trois chiens. Il trouve les mots qu'il faut pour la convaincre, obtient son accord et s'apprête à convoler pour la quatrième fois.

Mais, quelques jours avant la cérémonie, il reçoit un télégramme ainsi conçu :

« Cède à tes instances — stop — accepte prendre succession de mes sœurs — stop — annule tout — j'arrive — signé : Hildegarde. »

De son côté, la dernière des sœurs Schlaf a réfléchi. Aujourd'hui, chez Ludwig, presque tout le mobilier vient de sa famille. La machine à coudre, l'armoire bavaroise, le coucou du salon, la glace de Venise, le piano, même le moulin à légumes sont Schlaf. A chacun des trois mariages, ses sœurs ont apporté un peu du patrimoine chez le mari attitré de la famille. On ne peut tout de même pas laisser une étrangère s'installer dans un appartement chargé de tels souvenirs. Hildegarde est soigneuse et conservatrice.

Fou de bonheur, Ludwig annule les préparatifs de son mariage avec « l'étrangère », fait publier de nouveaux bans et se retrouve, à quatre-vingt-trois ans, pour la quatrième fois devant monsieur le maire avec la quatrième et dernière des sœurs Schlaf. Après la cérémonie, au moment où la noce se dirige vers la brasserie où a lieu le repas, Ludwig s'aperçoit qu'il a oublié son chapeau. Hildegarde, la jeune mariée de soixante-sept ans, se précipite. Comme elle traverse la rue, une voiture surgit : coup de frein, choc, hôpital et, quelques heures plus tard, l'ultime représentante des Schlaf meurt dans les bras de ce pauvre Ludwig.

Veuf pour la quatrième fois à quatre-vingt-trois ans, le jour même de son quatrième mariage, l'ex-garçon de café ne voulut pas rester sur un « coup du sort » aussi injuste et retourna voir l'agence matrimoniale. Hélas ! toute la publicité faite dans la presse autour de son malheur lui fut fatale, et aucune femme ne voulut accepter de lier son destin à celui de ce grand consommateur d'épouses... devant l'éternel.

15

MADEMOISELLE MADELEINE

UNE fois par mois, et seulement une fois par mois, Mlle Madeleine sort de chez elle, pour aller faire ses courses, le premier jeudi du mois.

Aujourd'hui, premier jeudi du mois de mai 1962, Mlle Madeleine va donc sortir de chez elle, mais pour la dernière fois. Chez elle, c'est un petit pavillon en meulière, tout biscornu, coincé entre deux immeubles. Les fenêtres de bois, grises et desséchées par le temps, sont closes, éternellement closes. Mlle Madeleine n'ouvre jamais les volets de la façade. Elle occupe une chambre côté cour, face à un grand mur doublé d'arbres centenaires.

C'est là qu'elle vit depuis vingt ans, seule.

On dit, dans le quartier, que Mlle Madeleine ne tourne pas rond. C'est vrai! On dit qu'elle a fait couper le gaz et l'électricité, il y a vingt ans. C'est vrai! On dit qu'elle utilise encore une lampe à pétrole d'avant-guerre. C'est vrai! On dit qu'elle ne fait jamais de feu dans la cheminée. C'est vrai!

Mais, depuis le temps, les « on-dit » ne s'intéressent plus tellement à la vie de Mlle Madeleine, la propriétaire du 6 *bis* avenue Pasteur. Quel âge a-t-elle ? Soixante-trois ans, dit l'état civil.

Il y a vingt ans, elle en avait donc quarante-trois, le jour où elle a enterré sa mère, sa seule famille. Quand elle est revenue de l'enterrement, elle a fermé les volets de la façade, s'est réfugiée dans la chambre de derrière, et depuis rien n'a changé.

Hiver comme été, du lundi au dimanche, la maison est close, morte ! Personne ne sait comment passent les jours de Mlle Madeleine. Et pourtant ils passent. Les voisins de l'immeuble de droite l'entendent parfois parler toute seule et remuer des meubles.

Ce premier jeudi du mois de mai 1962, Mlle Madeleine sort donc de chez elle pour la dernière fois. Elle a toujours été belle. Et, à soixante-trois ans, elle est encore belle. Un petit visage aux traits fins et au nez droit, un front haut, des yeux bleu pâle, des cheveux qui furent blonds, serrés en chignon épais. Mlle Madeleine ressemble à une miniature du siècle dernier, camée ou améthyste. Même les rides sont légères et bien dessinées.

Elle est vêtue de façon désuète : une robe longue, soutenue par des jupons, un petit chapeau de paille à rubans, gants et bottines. Tout est noir, jusqu'au cabas de toile usée. Mlle Madeleine ferme sa porte à clef et cligne des yeux au soleil du printemps. La tête lui tourne, et elle regarde avec effroi les quatre marches du perron de pierre, il va falloir les descendre. Il va falloir marcher dans la lumière et dans le bruit, longer les vitrines, croiser des passants, entrer dans des boutiques et parler.

Aujourd'hui, Mlle Madeleine n'en aura pas la force. Non, c'est au-dessus de ses forces. Et pourtant il le faudrait. Il le faut. Le meilleur moyen de ne pas avoir le vertige, de ne pas faire attention aux papillons noirs qui dansent devant ses yeux, c'est de marcher la tête droite, de ne regarder ni le ciel ni la terre. Le ciel et la terre sont vertigineux. Quand Mlle Madeleine était petite, elle avait peur de lever les yeux jusqu'aux nuages, il lui semblait que le ciel tournait, tournait et allait l'emporter comme une poussière.

Elle avait peur aussi de regarder ses pieds, c'était comme si elle rapetissait, comme si la terre l'attirait, voulait l'anéantir, la recouvrir. Alors, depuis qu'elle est grande, Mlle Madeleine continue de marcher la tête droite, ce qui fait croire aux passants qu'elle est fière, digne, hautaine, voire méprisante. En tout cas, quelqu'un qui n'a besoin de personne.

A petits pas prudents, son cabas d'une main, son mouchoir de l'autre, Mlle Madeleine descend les marches du perron de pierre et entame son calvaire. Chaque premier jeudi du mois est un calvaire puisqu'il faut sortir, mais celui-là est pire que les autres, et pire que jamais. En la voyant pénétrer dans le magasin, l'épicier se dit : « Tiens, voilà la dingue... elle va me demander un paquet de riz, des sardines, 1 kilo de sucre, 1 litre d'huile et des pommes de terre, comme d'habitude ! si c'est tout ce qu'elle mange... ma femme a raison, elle a sûrement une fortune sous son matelas... jamais vu quelqu'un d'aussi pingre... »

L'épicier se fait cette réflexion intérieure depuis vingt ans.

Il ne s'est jamais vraiment demandé si Mlle Madeleine était vraiment folle ou vraiment pingre. Il commente, par réflexe. Il ne remarque d'ailleurs pas que sa cliente, « la dingue » comme il dit, est plus pâle que d'habitude, plus fragile et que sa voix n'est plus qu'un souffle.

Il donne le riz, les sardines, le sucre, l'huile et les pommes de terre.

Il regarde d'un œil amusé la vieille demoiselle soulever un jupon, chercher sa bourse, compter les pièces avec effort.

Tout à l'heure, il dira à sa femme :

« Tu sais, la dingue, celle qui vient une fois par mois, elle a encore compté ses sous, comme si le diable les lui arrachait, un par un. »

Le cabas est lourd, et Mlle Madeleine a le souffle court en atteignant la boulangerie.

Sait-elle que là aussi on ironise ?

« Tiens, voilà la vieille qui vient chercher sa boule. Une boule de seigle une fois par mois ! Si tous les clients étaient comme elle, on n'aurait plus qu'à fermer boutique ! »

Mlle Madeleine ramasse sa monnaie et range les pièces avec soin, sous son jupon. On ne lui a jamais vu de porte-monnaie. Comme on ne l'a jamais vue sans son chapeau, son cabas et sa robe noire. La voilà qui prend le chemin de retour, penchée du côté où pèse le cabas, s'arrêtant parfois, le dos au mur, pour ne pas tomber, regardant toujours droit devant elle. Son front est en sueur. Elle tremble de tous ses membres pour tenir debout.

Qui l'a croisée en ce jour de printemps 1962?

Qui a remarqué la silhouette vacillante, luttant contre l'évanouissement, les yeux bleus refusant de se fermer, les jambes de céder?

Qui a vu Mlle Madeleine le jour de sa dernière sortie, de son dernier jeudi?

Pour le moment, personne, non, personne! Sinon quelqu'un l'aurait aidée à porter son cabas, à rentrer chez elle. Quelqu'un aurait appelé un médecin, quelqu'un l'aurait emmenée dans un hôpital. Personne ne l'a fait.

Et pourtant, c'est curieux, très curieux. Le lendemain, des tas de « quelqu'un » se souviendront :

« Ho! c'est vrai, elle avait mauvaise mine...

— Ah! oui, la vieille dame? Elle était mal-en-point...

— Elle n'arrivait pas à traverser la rue...

— Je l'ai vue au coin de la banque, elle a failli tomber... »

Oui, le lendemain, beaucoup se souviendront, s'attendriront.

Mais là, sur cinq cents mètres de chemin familier, Mlle Madeleine promène son agonie. On la voit, sans la voir. On ne voit que son extravagance habituelle, son jupon démodé, ses bottines, son cabas d'un autre âge, et on sourit, sans plus.

Enfin la voilà au bout du chemin. Il reste à franchir le petit perron et à refermer la porte sur cet univers inviolé. Il reste à mourir seule, loin des regards, comme elle a vécu depuis vingt années.

Le voisin n'a pas entendu marcher dans la maison de Mlle Madeleine. Il n'a pas entendu le petit bruit des volets entrebâillés se refermant sur la lueur de la lampe à pétrole, et il s'est dit : « Tiens, c'est drôle. »

Alors, il est sorti de chez lui, il a regardé, fait le tour de la maison de Mlle Madeleine.

Il a hésité, s'est décidé à sonner et à prévenir la police le lendemain, car quelque chose lui paraissait bizarre. Il ne savait pas quoi, mais il avait raison.

C'est étrange une maison morte, figée à un moment de sa vie et recouverte de la poussière de vingt ans. Une poussière épaisse, froide, humide. A l'entrée du couloir, juste derrière la porte, il y a le cabas de Mlle Madeleine, avec le riz, les sardines, le sucre, l'huile et les pommes de terre éparpillées dans la poussière.

Mlle Madeleine est sur son lit, recroquevillée, minuscule, morte ! Autour d'elle, rien. Comme si la chambre avait été vidée de ses bibelots et de ses petits meubles.

A part le lit, tout a été empilé dans la chambre d'en face, celle de sa mère, et la porte a été fermée à clef.

La salle à manger, le salon sont verrouillés eux aussi.

Mlle Madeleine ne vivait que dans la cuisine et dans la chambre vide.

Depuis vingt ans, elle se nourrissait à peine et

ne voyait personne. Depuis vingt ans, elle ne sortait qu'une fois par mois. Depuis vingt ans, la maison était morte.

Et Mlle Madeleine était morte d'épuisement, a dit le médecin, morte d'une usure lente et volontaire. Pourtant on a trouvé sur elle une petite fortune.

Dans une ceinture de toile, elle avait cousu de petits sacs, bourrés d'argent et de bijoux, qu'elle portait sous ses jupons, en permanence, semble-t-il. Cela représentait plusieurs millions, alors qu'elle vivait avec 10 000 anciens francs par mois. Et, sous son matelas, il y avait un petit cahier d'écolier :

« 22 septembre 1941...

Maman est morte...

Je ne veux pas que l'on sache ce qu'elle a fait de moi.

J'aimais un homme, il s'appelait Edmond, il n'était pas riche.

Elle n'a pas voulu qu'il m'épouse.

J'avais vingt-quatre ans, je suis restée avec maman, mais j'ai fermé mon cœur. Maintenant qu'elle est morte, je vais fermer ma vie.

Je vais fermer les portes, et j'attendrai de mourir à mon tour, devant cet argent qui a tout gâché...

Je n'y toucherai pas... je lègue tout ce que j'ai à l'Etat...

Pour moi, depuis longtemps, il n'y a plus personne !... »

Les autres pages étaient blanches, vides, aussi vides que les vingt années passées depuis ce

22 septembre 1941, où Mlle Madeleine avait enterré sa mère. C'était un journal d'une seule page, des mémoires de vide et d'oubli en pages nues.

Aucune lettre, aucun portrait de cet Edmond dont Madeleine était tombée amoureuse, à l'âge de vingt-quatre ans, en 1922. Aucune trace de cet amour pour lequel elle était morte, enfin, d'épuisement au printemps 1962. Rien que l'argent. Des petits millions, en petits paquets, semés sous ses jupons. Des petits tas d'argent dévalué, dont même l'Etat ne profiterait pas, de l'argent mort, lui aussi, d'avoir attendu.

16

NI FLEURS NI COLLIERS

Sur la plage d'une petite île de Polynésie française, deux hommes prennent la mer dans une barque. Ils sont nés dans cet atoll, appelé Maupiti, et ne l'ont jamais quitté jusqu'à présent. Ce sont deux frères, l'aîné a trente ans, le cadet vingt-neuf.

Depuis leur plus tendre enfance, ils vivent à Maupiti. Ensemble, ils y ont vécu pauvrement, car on ne peut pas cultiver grand-chose à Maupiti. Ils se sont mariés le même jour, ils ont chacun une femme et des enfants. L'aîné a six enfants, le cadet quatre. Mais ce jour-là, le 22 février 1954, ils ont décidé de quitter Maupiti pour aller à Bora-Bora, à soixante kilomètres. Bora-Bora, c'est le paradis. Il y a des terres cultivables, et les deux frères ont décidé d'aller s'y installer pour cultiver des melons d'eau. Mais comme c'est une véritable aventure, et que ce sera dur au début, ils ont décidé de partir uniquement tous les deux...

Ils s'embarquent donc sur une barque de sept

mètres de long, sortent du lagon et passent les rouleaux en faisant, du plus loin qu'ils peuvent, des signaux à leurs femmes et à leurs enfants...

« A bientôt !... A bientôt !... »

Pour ce départ, ni fleurs ni colliers : ce n'est pas le départ du paquebot des touristes à Tahiti ! Ce sont deux frères qui s'éloignent d'un atoll pauvre, sur une pauvre barque à moteur. Pour toutes provisions, ils ont emporté une bouteille d'eau et quelques melons d'eau... Ils mangeront la pulpe et garderont les graines pour les semer à Bora-Bora. 60 kilomètres ce n'est rien, et la mer est calme ! La barque a deux moteurs, ils ont tellement confiance qu'ils n'emportent ni voiles, ni avirons ! L'aîné s'appelle Témanuha, le cadet Natuhi.

Dans la soirée, alors que Maupiti a disparu et qu'ils voient se rapprocher Bora-Bora au soleil couchant, ils aperçoivent un requin. Ce requin les suit, à quelques mètres, dans leur sillage. Il mesure deux mètres environ, ce qui est déjà une bonne taille. Mais il n'y a là rien d'inquiétant. Au contraire, le cadet dit à son frère aîné :

« Attends qu'il approche, on va le harponner ! Ça nous fera de la viande à sécher ! »

Car les deux frères ont emporté un harpon fait d'un long couteau solidement lié au bout d'un long bâton, et ils savent très bien s'en servir, même sur un requin ! Il suffit de faire flotter un appât. Le requin se précipite pour l'avaler, et, très souvent, comme il a la bouche en dessous et à l'arrière du nez, il se retourne, présentant alors son ventre blanc dont la peau est plus fragile. Il suffit de savoir planter le harpon, d'un seul effort des deux bras, là où se trouve le cœur : si l'on a bien visé, le requin se débat à peine, il est tué sur le coup.

Mais les deux frères n'ont pas d'appât ! Il faudrait un morceau de viande ! Ou que le requin s'approche, mais il suit la barque à distance respectueuse de deux ou trois mètres... Ils renoncent donc à le harponner et se contentent de leurs melons d'eau.

Bora-Bora n'est plus qu'à une dizaine de kilomètres quand le premier moteur tombe en panne. Le deuxième moteur n'a pas tourné jusque-là, car ils le gardaient en secours. Or voilà qu'il refuse de démarrer, malgré tous leurs efforts. Aucun des deux frères n'est assez habile pour comprendre la panne et la réparer. La nuit tombe, il n'y a qu'une chose à faire, se laisser dériver, attendre qu'un pêcheur les aperçoive à l'heure de la pêche demain matin.

Mais, le lendemain, la terre n'est plus à l'horizon. Le vent s'est levé, ils ont dérivé au large. Plus une seule voile en vue, et surtout plus qu'un seul melon ! Quant à la bouteille d'eau, elle est aux trois quarts vide. Par contre, ils observent que leur compagnon le requin les suit toujours depuis la veille. Comme la barque dérive à présent doucement, dans le vent, il a, lui aussi, ralenti son allure. De temps en temps, il semble s'énerver un peu, dépasse la barque, tourne autour, mais toujours à quelques mètres et hors de portée du harpon !

La journée se passe, et puis la nuit. Ils n'ont

plus rien à boire, plus rien à manger, plus rien que les graines des melons d'eau, qu'ils avaient gardées pour les semer à Bora-Bora. Ils les croquent une par une et continuent de dériver dans l'océan Pacifique. Le troisième jour, il pleut! Les deux frères tordent leurs pantalons et leurs chemises trempés pour recueillir de l'eau dans la bouteille. En le faisant plusieurs fois, ils parviennent à la remplir à moitié seulement.

Une semaine passe. Les graines de melons d'eau ont duré deux jours, en les économisant. C'est le cadet, Natuhi, qui commence à décliner le premier. Il dit à son frère aîné :

« Mes pensées ne sont plus bonnes! »

Et bientôt il délire. Si Témanuha, qui se sent encore assez fort pour le faire, pouvait harponner ce requin qui les suit maintenant depuis une semaine, jour et nuit! Il arriverait bien à le hisser à bord, et ce serait la vie sauve. D'abord, il ferait boire son sang à Natuhi. Ensuite, il le découperait en filets, pour les faire sécher au soleil!

Parfois le requin s'approche à moins de deux mètres de la barque. Témanuha est seul sur cette barque, amaigri, épuisé, devant le corps de son frère. Et le requin est toujours là, qui attend. Comme si depuis le début il attendait que l'un des deux hommes jette l'autre à la mer! Mais Témanuha garde encore sa lucidité, il est plus résistant que son frère, et il se révolte à l'idée de jeter son corps en pâture à cette sale bête qui n'attend que ça et leur a porté malheur sûrement!

Témanuha avait un an de différence avec son cadet. Ils avaient grandi, joué ensemble, ils s'aimaient, ils travaillaient ensemble, leur espoir était le même. Il ne peut pas se faire à l'idée de voir son corps avalé en deux ou trois bouchées par ce requin! Pourtant, au bout d'une journée sous ce soleil, et pour des raisons évidentes, il ne peut plus le garder dans la barque. Il sait bien que lui-même n'en a plus que pour deux ou trois jours, peut-être! Mais, en attendant, il FAUT qu'il se débarrasse du corps de son frère, car ce n'est plus tenable. Alors, avant de faire passer le corps de Natuhi par-dessus bord, il essaie d'éloigner le requin! Il frappe la surface de l'eau avec son harpon, il le menace, il l'insulte, de toutes ses dernières forces.

Mais rien n'y fait. L'aileron du requin est toujours là, plongeant, réapparaissant, toujours à deux ou trois mètres, prêt à se jeter sur le cadavre. Témanuha regarde le corps de son frère, puis le requin. Et alors, soudain, il sait ce qu'il doit faire. De toute façon, son frère est mort. De toute façon, le requin va le manger! Alors, il saisit dans le fond de la barque une corde et l'attache, sous les bras, autour du cadavre de Natuhi. Puis il prépare son harpon et, ne laissant qu'un mètre de corde, il pousse le corps de son frère dans l'eau!

En un éclair blanc, le requin a foncé, il s'est retourné, ventre en l'air! Témanuha lève les deux bras, rassemble ses dernières forces, et c'est soutenu par la rage et la haine qu'il a fini par éprouver pour cet animal qu'il plante enfin son harpon là où il sait que se trouve le cœur!

Et le requin meurt sur le coup, foudroyé.

Alors, et alors seulement, Témanuha laisse glisser dans l'eau bleue le corps de son frère.

A bout de forces, Témanuha commence par reprendre son souffle. Puis, se servant du harpon et de la corde, au prix de longs efforts, en risquant de faire chavirer la barque plusieurs fois, il parvient à hisser à bord ce requin de deux mètres de long. Il l'ouvre et commence par boire son sang, puis il en mange le cœur qu'il a découpé en tout petits morceaux avec la lame de son harpon. Après quoi, le lendemain matin, ayant suffisamment récupéré, il découpe la bête en filets qu'il fait sécher au soleil. Comme on fait pour la morue.

Et il va tenir ainsi cent cinquante-cinq jours! En tordant ses vêtements chaque fois qu'il pleut pour récupérer de l'eau, en mangeant du requin séché! Ou en pêchant du poisson frais, en se servant d'un morceau pour appât.

Le 6 juillet 1954, après quatre mois et treize jours, Témanuha aperçoit un atoll de corail. Il se jette à l'eau avant que la barque ne s'y fracasse, et il est recueilli par les habitants de Manuha, dans l'archipel de Samoa, à plus de 2 000 kilomètres de Maupiti, son point de départ! De 83 kilos, il était tout de même passé à 42!

Le 13 septembre, c'est-à-dire sept mois après son départ, Témanuha a été ramené à Tahiti par un avion militaire, et enfin à Maupiti, en goélette.

Beaucoup plus tard, Témanuha est finalement reparti à Bora-Bora où il cultive les melons d'eau, selon sa première idée. Ce qui fait vivre sa femme, ses six enfants, la veuve de son frère et ses quatre enfants. Il leur a tout dit, et chacun a compris qu'il aurait fait la même chose. Il fallait que le mort serve à sauver le vivant. C'est donc ainsi que la mort de Natuhi, le Polynésien, a été annoncée, sans fleurs ni colliers.

17

LES FUNÉRAILLES DE TANTE ROSY

TANDIS qu'il manœuvre pour garer sa voiture, Michaël Burgett ne peut s'empêcher de regarder avec une certaine fierté l'ensemble de la propriété, tout en comptant dans sa tête :

« Le cousin Jeff de Washington, neuf... et moi, ça fait bien dix ! »

La tante Rosy avait indubitablement le sens de l'apparat. Il est vrai que l'argent aide, et Dieu sait si à sa mort l'oncle Jackson lui en avait laissé. A présent, un dixième de cette fortune appartient à Michaël Burgett. Tante Rosy n'ayant pas d'héritier direct, l'ensemble de ses biens revient à ses neveux et nièces. C'est une bien triste et bien bonne nouvelle à la fois que ce télégramme signé de la dame de compagnie. Michaël le sort de sa poche comme pour s'assurer une fois de plus de sa réalité tangible.

« Deuil cruel nous frappe — Venez de toute urgence — Mary. »

Aucun doute possible, cette pauvre Rosalynd

Jackson est décédée. Et il a beau fouiller dans le fond de son cœur, Michaël Burgett ne ressent aucun chagrin. Disons-le même carrément, tante Rosy était même plutôt antipathique. Cette façon qu'elle avait de dire « mon petit » avec une moue condescendante a toujours irrité Michaël. Un jour, même, il a répliqué : « pas si petit, je fais 1,76 mètre », et c'est cette année-là qu'il fut oublié sur la liste des cadeaux de Nouvel An. D'ailleurs, il n'est pas le seul à s'être brouillé avec tante Rosy. Tous les cousins et cousines ont été, tour à tour, victimes de ses sautes d'humeur. Il serait même surprenant que les deux cousins Brady aient été prévenus, car aux dernières nouvelles ils étaient sur la liste rouge, pour avoir osé critiquer le vase d'un salon chinois.

Michaël en est là de ses réflexions lorsqu'il tire la poignée de cuivre ouvragé de la sonnette. Les échos lointains du carillon qu'elle déclenche résonnent sous le péristyle à colonnes, du plus beau style pseudo-colonial. On se croirait au siècle dernier. On s'attend à voir la porte s'ouvrir sur le traditionnel serviteur noir en livrée.

Mais, en fait de portier noir, c'est cette brave Mary, la gouvernante, qui introduit le visiteur. Va-t-elle hériter, elle aussi ? En attendant, elle n'a pas l'air bouleversée outre mesure, et c'est même avec une désinvolture un peu choquante qu'elle désigne la chapelle ardente en disant d'un mouvement du menton :

« C'est là ! »

Michaël s'attendait à un peu plus de respect chagrin, même factice.

Entouré de tentures noires, noyé sous les gerbes et les couronnes, on devine, sous un catafalque, le cercueil. Michaël le trouve petit, ce cercueil. Il savait la tante Rosy minuscule, mais à ce point! Un coup d'œil circulaire le confirme dans son impression, il est bien le premier. Aucun de ses cousins n'est encore arrivé. Et si par une clause originale, dont elle était fort capable, la tante avait eu l'idée de nommer le premier arrivant légataire universel? Michaël imagine la tête des autres à la lecture du testament.

Et voilà Michaël rêvant de voitures de sport, de villa à Hawaii, de voilier au soleil des tropiques. Il se croit déjà mollement étendu sur la plage, entouré de vahinées, lorsqu'une voix venue d'outre-tombe lui glace le sang dans les veines.

« Michaël, mon petit! »

« Je cauchemarde », se dit l'interpellé. On aurait juré la voix de tante Rosy. Mais c'est impensable, à moins qu'il ne s'agisse d'un enregistrement macabre. Mais ces pas, ces pas martelant le marbre de l'entrée et qui s'approchent. Le cauchemar continue, ce sont ceux de la tante, et cette silhouette menue vêtue de noir, c'est la tante Rosy, ou alors son fantôme. Mais un fantôme ne vous embrasse pas. Michaël a la gorge sèche d'émotion, sa pomme d'Adam fait deux ou trois aller et retour, et il se retourne comme un automate :

« Merci d'être le premier, mon petit. »

Il faut bien se rendre à l'évidence, ce n'est pas Rosalynd Jackson qui est morte. Quelqu'un d'autre est là sous les tentures, au milieu des fleurs.

Quel est donc ce « deuil cruel » qui frappe la maison ? Tandis qu'il embrasse « celle » qui n'est pas celle pour laquelle il vient, Michaël balbutie :

« Mais qui est-ce ? »

Et en même temps, il craint d'avoir l'air idiot et de s'attirer les foudres de tante Rosy, pour être venu sans savoir qui était mort.

Mais, entre deux petits reniflements destinés à refouler ses larmes, Michaël entend cette phrase inouïe :

« Mais voyons, mon petit, c'est " Miout' Miout ". »

La maison tout entière lui serait tombée sur la tête que ce pauvre Michaël n'en serait pas plus abruti. Ainsi ce « deuil cruel », c'est le chat ! Le chat angora de la tante Rosy. Cette énorme bête parfumée qui déposait ses poils sur les fauteuils du salon et en faisait profiter la famille. Tout ce décorum, tout ce faste mortuaire, c'est pour Miout'Miout. L'horrible Miout'Miout, malfaisant, aux griffes toujours prêtes à vous écorcher vif. Il est des moments dans la vie où l'énormité de la situation est telle qu'elle bascule dans l'hilarité. Pour Michaël, la farce est trop grosse pour l'atteindre dans sa susceptibilité. Il n'a que le temps de porter la main à sa bouche pour étouffer l'éclat de rire monstrueux qui le secoue intérieurement. Il a bien du mal, et comme rien n'est plus proche du rire que les larmes, la tante Rosy imagine peut-être que Michaël partage à ce point sa douleur qu'il éclate en sanglots. Toujours est-il qu'en signe de reconnaissance elle tapote affectueusement le bras de son neveu, tout en enfouissant son chagrin dans un mouchoir de dentelle. Et le carillon de l'entrée vient à point détourner son attention. Elle écarte la gouvernante pour aller elle-même ouvrir aux nouveaux arrivants. C'est dire que le deuil est cruel.

Michaël en profite pour laisser échapper quelques gloussements libérateurs du rire nerveux qui lui secoue l'estomac dans un hoquet douloureux. Puis, voyant la porte s'ouvrir, il se recule dans l'ombre pour mieux profiter de la surprise de ses cousins dont le défilé commence...

Pendant une demi-heure, Michaël Burgett va déguster les réactions successives de sa famille arrivant habillée de deuil et de mines de circonstance. Pendant une demi-heure, la défunte va ouvrir la porte à des gens qui viennent assister à son enterrement. La surprise des uns, la frayeur des autres, c'est un spectacle de choix. Il y a ceux qui restent pétrifiés sur le pas de la porte, ceux qui ravalent leur surprise et font semblant d'être au courant. Ceux qui, comme le cousin James, effectuent un demi-tour impeccable et s'éloignent de dix pas avant d'être rappelés par la tante. Ceux qui toussent pour faire quelque chose... Entre deux « séquences » de cette sorte de *Caméra invisible,* Michaël Burgett se pose malgré tout la question de savoir si cette mise en scène est préméditée ? En dehors du réel chagrin que la tante Rosy éprouve de la perte de son chat, n'y a-t-il pas là mystification. N'a-t-elle pas organisé toute cette mise en scène pour éprouver ses héritiers ? La suite va lui donner raison au-delà de toute espérance. Lorsque toute la famille au complet est groupée autour du catafalque, tante Rosy annonce d'une voix brisée par l'émotion qu'il convient d'accompagner Miout'Miout à sa dernière demeure. C'est un échange de regards épuisés parmi les cousins. Michaël espère que l'un d'eux au moins va s'excuser, dire qu'il a un rendez-vous urgent, trouver un prétexte pour échapper à cette mascarade, auquel cas il lui emboîterait le pas avec soulagement. Personne ne bouge. Pas un des dix cousins n'a le courage de contrarier celle dont il était venu partager l'héritage. On ne sait jamais. Leur comportement à l'enterrement de Miout'Miout peut éventuellement servir de répétition dans l'esprit de tante Rosy... Qui sait ?

Et les voilà partis au cimetière derrière un convoi croulant sous les fleurs. Tante Rosy n'a pas regardé à la dépense. Les gerbes et les couronnes sont tressées des fleurs les plus recherchées, roses tendres, glaïeuls, orchidées. Deux fourgons ont été nécessaires pour les transporter. Tandis qu'au volant de sa voiture Michaël ronge son frein comme les autres, il aperçoit, au bout du petit chemin que le convoi a emprunté, un enclos tout neuf, duquel dépasse une étrange construction.

« Non, ce n'est pas possible, se dit Michaël Burgett, je rêve encore, je vais me réveiller ! »

Mais il ne rêve pas. C'est bien devant ces murs que le fourgon s'arrête, tandis que les voitures suiveuses l'imitent l'une après l'autre. Au fronton de la grille centrale, un bandeau ne laisse aucun doute sur l'origine de la construction : *Cimetière d'animaux Rosalynd Jackson*. La grille franchie, Michaël pénètre dans un vaste jardin grand comme un terrain de sport divisé en petits rectangles de 2 mètres sur 3, destinés sans aucun doute à recevoir les animaux défunts. Au fond, occupant presque toute la largeur du terrain, se dresse un monument, une sorte de monument, ce qui veut être un monument. Bref, car il n'y a pas d'autre mot : le délire, en édifice, d'une femme qui a pris le prétexte de la mort de son chat pour ruiner ses héritiers, tout en les ridiculisant. Le mausolée du chat se compose d'une immense colonnade de marbre de Carrare, avec au centre une sorte de temple byzantin. Au milieu du temple, deux portes de bronze doré s'ouvrent sur une chapelle à l'intérieur de laquelle se devine un tombeau béant. Une énorme stèle de marbre noir attend de le fermer à jamais sur la dépouille de Miout' Miout, le plus pharaon des chats. Point n'est besoin d'être expert pour imaginer la fortune qu'a dû coûter une telle construction. L'héritage y est passé tout entier. Et toute cette mise en scène a été soigneusement préméditée, car il a fallu quelques années pour mener à bien une réalisation aussi fastueuse. Deux ans, trois peut-être...

Ainsi, ces dernières années, chaque fois que tante Rosy recevait ses héritiers, elle devait imaginer la tête qu'ils font en ce moment. Et c'est en se retournant pour voir précisément la tête de ses chers cousins que Michaël Burgett est repris du même fou rire irrésistible que tout à l'heure. La stupéfaction a fait place à une colère mêlée de honte et de défi sur les visages. C'est précisément au comble de la fureur que le cousin Jeff frappe avec violence dans un caillou qui atteint les chevilles de Caroline, laquelle pousse un cri de douleur, tout à fait irrespectueux. Ce que voyant, Horace, son mari, se précipite sur Jeff et lui allonge un coup de poing qui l'expédie dans les orchidées. Voyant son frère en difficulté, Tony fonce tête baissée dans le ventre d'Horace qui fauche en tombant Burt, qui appelle Charly à son secours, et bientôt, au pied du temple de marbre, une mêlée générale oppose les héritiers de tante Rosy, splendide, drapée dans sa satisfaction, et qui continue la cérémonie de ses propres funérailles par « personne de chat » interposée, avec une satisfaction non dissimulée.

Le premier janvier suivant, Michaël Burgett fut le seul héritier à envoyer ses vœux à la tante Rosy, la remerciant de l'« intéressant moment » qu'elle lui avait fait passer. Etait-il sincère, ou pensait-il que, devenant légataire universel, il en tirerait bien encore le prix d'une voiture de sport ou d'un voilier ? Nul ne le saura sans doute jamais. Mais peu importe. Tante Rosy leur avait légué à tous quelque chose de beaucoup plus important, le sens de l'humour poussé jusqu'à l'énormité. Il en faut bien de temps en temps.

18

LE TERRAIN VAGUE

CE n'est pas un conte de fées, c'est une histoire insupportable ou fascinante, selon que l'on fait partie de l'une ou de l'autre catégorie d'individus suivante :

Ceux qui s'arrêtent pour regarder un accident.

Ceux qui ne s'arrêtent pas pour regarder.

Point n'est besoin de parler de la catégorie de ceux qui s'arrêtent pour sauver, secourir, soigner. Ceux-là font leur devoir ou leur métier, et parfois beaucoup plus.

Le vendredi 24 mars 1949, à 5 heures du soir, Kathy, dix ans, vient de tomber dans un puits de forage.

A quelle profondeur, mystère, 20, 30 mètres, peut-être plus. Kathy jouait dans un terrain vague de San Marino, à Los Angeles. Et, dans ce terrain vague, la Compagnie des Eaux fit jadis de petits trous pour détecter les sources. Le trou dans lequel est tombée Kathy fait 35 centimètres de diamètre. C'est-à-dire qu'il est petit en surface, mais malheureusement très profond.

En réalité, c'est un long tuyau métallique, dont l'orifice n'a jamais été rebouché, et qui normalement devrait être recouvert au moins d'une plaque de tôle. Kathy courait derrière une camarade, et elle a glissé tout droit vers le fond. Les enfants l'ont appelée, ils ont entendu un vague cri résonner dans le tuyau, et la mère est allée chercher les pompiers.

Dans un premier temps, les sauveteurs se sont dit : une corde fera l'affaire. Il suffit que l'enfant l'agrippe pour la remonter en douceur.

La mère a appelé :

« Kathy, tu m'entends ? »

Un faible oui a répondu.

« Kathy, tu as mal ? »

Un faible non, cette fois. Et l'espoir s'est installé. Puis la corde est descendue, une fois, deux fois, trois fois sans succès. Ou bien elle n'est pas assez longue, ou bien l'enfant ne l'attrape pas.

On appelle Kathy à nouveau, mais elle a dû s'évanouir et ne répond pas. Il faut tenter autre chose.

Vendredi, 7 heures du soir : c'est le week-end. La radio annonce, en même temps que la météo, l'accident survenu à la petite Kathy. Et un journaliste lance un SOS. Désormais, les flashes d'information tiendront régulièrement au courant les auditeurs des progrès du sauvetage. Et, désormais, le terrain vague est envahi par la foule des curieux.

Vendredi, 19 heures : un petit homme se pré-

142

sente au sauvetage. Il vient de jaillir d'une voiture gigantesque et rose saumon. Il est jockey, il pense pouvoir se glisser à l'intérieur du tuyau. Les photographes de presse immortalisent le jockey en tenue de week-end, attachant une corde autour de sa taille, puis descendant dans le trou jusqu'à mi-corps, puis remontant d'un air désolé.

Les épaules ne passent pas. Et, de toute façon, en descendant les pieds devant, il n'aurait pas pu faire grand-chose. Sa tentative était ridicule. Le jockey repart dans sa voiture rose. Il aura la une des journaux du lendemain, mais la mère de Kathy refuse de se laisser photographier avec lui.

Vendredi, 22 heures : les reporters de la station de Los Angeles sont sur place et installent des haut-parleurs. Un journaliste annonce en direct, dans le flash de 23 heures, que les sauveteurs ont décidé de creuser un puits parallèle au tuyau pour tenter de dégager l'enfant par le fond. Le journaliste ayant parlé de la difficulté de travailler en pleine nuit à la seule lueur des projecteurs des pompiers, Hollywood envoie des sunlights, et une compagnie pétrolière deux grues géantes.

Kathy ne répond toujours pas au fond du puits. Ses camarades de jeu ne sont pas couchés, ils racontent depuis des heures comment la chose est arrivée.

A minuit, à la sortie des spectacles, la foule grossit. On aperçoit des femmes en robe du soir et des messieurs en smoking.

Une excavatrice mobile arrive par la route, et une armée de motards lui ouvre le chemin à 20 à l'heure.

Mais l'arrivée de l'engin intéresse beaucoup moins le public que la prestation d'un nouveau volontaire alerté par la radio.

Il s'appelle Jim Star, c'est un nain de cirque, et son idée est spectaculaire. Il veut se faire attacher par les pieds à une corde et se laisser glisser le long du tuyau, bras en avant, pour récupérer l'enfant.

Il fait un essai, en collant et bonnet rouges. La corde le descend de 3 mètres, puis le remonte à moitié étouffé. On s'empresse autour de lui, on le réconforte, on l'enroule dans une couverture, et le reporter radio essoufflé conclut :

« Le courage de Jim Star n'est pas récompensé. »

A la lueur des énormes projecteurs de cinéma, l'excavatrice a entamé son travail à 1 mètre du tuyau; les trépidations de l'appareil ne permettent pas d'entendre sur place l'interview de Jim Star, réalisée en direct du terrain vague. Mais la foule ayant grossi, à 2 heures du matin, on peut trouver sur place des sandwiches, du café et de la bière. Les journalistes ont établi leurs pénates dans la cantine des sauveteurs, une sorte de roulotte, munie du téléphone et d'un distributeur de café.

Samedi, 3 heures du matin : Kathy a disparu dans ce puits de forage depuis dix heures. Dans le puits parallèle creusé par l'excavatrice, arrivé à 20 mètres de profondeur, c'est la catastrophe. Des effondrements sablonneux empêchent de continuer le travail.

L'endroit a été mal choisi, et les hommes se

144

résignent à creuser de l'autre côté. Tout recommence. Des spécialistes donnent leur avis à la radio sur la manière de creuser en sol argileux ou sablonneux, peu importe. Deux mineurs au chômage viennent proposer leurs services et leur expérience. Pour aller plus vite, la ville de Los Angeles loue deux excavatrices. Il y a donc trois engins qui creusent à présent, et le bruit est infernal. Mais, le samedi à 8 heures du matin, le puits de sauvetage a 9 mètres de diamètre et 17 mètres de profondeur.

Les mineurs proposent de descendre au fond et de sonder le tuyau. On installe donc une grue au-dessus du nouveau puits, et les deux hommes descendent à 17 mètres. Ils descendent en même temps qu'un micro. Lequel micro est relié à des haut-parleurs, lesquels haut-parleurs vont tenir la foule au courant des travaux en permanence. On entend les hommes souffler et respirer. Ils manient une sorte de pic pneumatique pour atteindre latéralement le tuyau métallique.

On entend les vibrations. Lorsque le tuyau est atteint et que les hommes y découpent une lucarne, la radio retransmet le son des haut-parleurs en direct. C'est un moment pathétique, dit le reporter.

Près de deux mille personnes massées sur le terrain vague écoutent avec les auditeurs à l'heure du petit déjeuner le commentaire de l'un des mineurs :

« J'aperçois une masse blanche, beaucoup plus bas dans le tuyau. J'envoie une sonde, je n'entends aucun bruit, si c'est l'enfant, elle est à plusieurs mètres en dessous. Nous ne pouvons pas l'atteindre. »

La foule fait « oh! ». Personne n'a pensé à la mère tassée dans un coin qui suppliait qu'on la laisse descendre pour appeler sa fille, pour lui parler, pour savoir...

L'Amérique et sa mère apprennent ainsi en même temps que la petite Kathy est à 29 mètres de fond et « que les auditeurs ne quittent pas l'écoute, ils seront tenus informés de l'avancement des travaux ».

Samedi midi. Des infiltrations détruisent le nouveau puits, beaucoup trop large. Une conférence réunit les sauveteurs, à l'issue de laquelle il est décidé de reprendre le forage du premier puits, en l'étayant au fur et à mesure à l'aide de tubes métalliques. Puis le travail reprend sous une chaleur accablante.

Le photographe d'un grand magazine d'actualité est venu, puis reparti en apprenant que les 29 mètres ne seraient atteints que dans la soirée, et que faire une photo à l'intérieur du puits inondé ne donnerait rien.

Plus personne ne parle de Kathy. Tout le monde parle des 29 mètres. Kathy est-elle vivante au bout de ces 29 mètres, ou morte? Où est passée la mère? La radio diffuse une sorte de débat entre un père de famille nombreuse et un responsable de la Compagnie des Eaux. Le père de famille réclame l'obturation de tous les puits de la région. La Compagnie des Eaux dit qu'elle n'est pas responsable de tous les puits et qu'il y a puits et puits, que ceux-là sont trop anciens pour lui être imputés. Ils datent des colons !

L'intérêt tombe vers 5 heures de l'après-midi. Puis remonte, car un des mineurs s'est évanoui au fond du puits, qui atteint maintenant 26 mètres mais ne permet pas de respirer convenablement.

En revenant à lui, le mineur fait une déclaration désespérée. Ils ont atteint le roc. Il faut continuer au pic, et il reste 3 mètres. Le speaker lance un nouvel SOS à la radio, et cette fois c'est un spécialiste du travail sous-marin qui se présente avec son matériel. Il est 9 heures du soir quand il remonte à la surface. Les flashes crépitent, l'homme est en sueur, il a atteint les 29 mètres.

Cette fois, c'est la fin. Il ne reste plus qu'à creuser latéralement pour atteindre le tuyau de Kathy.

Le capitaine des pompiers, accordant une interview, déclare :

« L'aération du conduit où se trouve l'enfant est correcte, à mon avis elle est vivante, nous en aurons la preuve dans peu de temps. »

Pendant qu'il parle, une soudaine infiltration noie complètement le fond du puits, et il faut trois heures de pompage avant de reprendre les travaux.

L'équipe de jour gagne le dortoir installé à 10 mètres du chantier, et l'équipe de nuit attaque la dernière tranchée. Le tuyau est atteint à 3 heures. Le bruit de la scie électrique qui découpe une lucarne est diffusé sur le terrain vague où les spectateurs endormis sursautent. On entend le halètement de l'ouvrier, il s'arrête par instants pour dire que le travail est délicat, car il a peur d'atteindre l'enfant. Ce travail délicat dure encore deux heures. C'est l'aube, et les sunlights font de grands halos inutiles et blafards.

L'homme, en bas, a pris le corps de Kathy dans ses bras.

L'enfant était morte étouffée depuis deux jours déjà.

Et le terrain vague est redevenu vague, vide, hérissé de montagnes de terre, inutile. Définitivement laid.

19

L'ENFANT A CRÉDIT

La tignasse embrouillée, le regard d'un animal traqué, Domenico est assis à même le carrelage, adossé au mur, côté radiateur.

Domenico a douze ans à peine, c'est un enfant de Naples, et il a été surpris en train de voler.

Apparemment, c'est une affaire banale, à Naples en tout cas, où règne encore la misère d'après-guerre, en 1958, et où tous les petits garçons pauvres sont voleurs.

Les carabiniers qui entourent Domenico sont blasés, et c'est machinalement, sans espérer de réponse, qu'ils demandent :

« Pourquoi as-tu volé ça ? »

« Ça », ce sont les enjoliveurs d'une voiture américaine que Domenico s'est fait prendre en train de démonter. Et démonter des enjoliveurs, à Naples, dans certains quartiers, est monnaie courante.

Mais lorsque Domenico commence à expliquer pourquoi il s'estime obligé de voler, les carabiniers, pourtant blasés, n'en croient pas leurs oreilles, car c'est une histoire incroyable. Si incroyable qu'il faut bien se représenter, pour l'admettre, le milieu dans lequel elle se déroule. C'est la banlieue de la banlieue de Naples, celle des bidonvilles. Là où sur des hectares entiers, il y a vingt ans, des milliers de familles vivaient entassées dans des cabanes de tôle et de bois.

C'est là que vit Domenico dans les années 60, comme les autres.

De quoi vivent-ils ? De tout et de rien : de l'allocation de chômage, de petits métiers, et surtout de la « débrouille napolitaine ».

C'est la misère, souvent d'ailleurs avec la télévision, car la télévision est sacrée. On a une cabane de planches, mais on a la télévision dès que possible et à tout prix, le rêve est aussi indispensable que le pain. Surtout, contrairement à ce que l'on pourrait croire, quand le pain est rare.

C'est dans ce monde à part, avec ses lois et sa morale particulières, qu'il faut comprendre ce qui arrive à Domenico à l'âge de six mois.

Sa mère, Graziella Marzano, a déjà eu trois enfants avant lui. Son père est un malheureux ivrogne qui ne gagne, à ramasser des chiffons, que 600 lires par jour : c'est-à-dire 4 francs par jour, les bons jours.

Avec ces 4 francs, la mère de Domenico doit faire manger tout le monde, payer le gaz et la lumière, le médecin quand il est déjà trop tard, et elle n'y parvient pas.

Lorsque arrive Domenico, son quatrième enfant, elle ne peut, sous-alimentée elle-même, le nourrir au sein que pendant un mois, et c'est une catastrophe, car elle doit acheter du lait en boîte, ce qui écorne chaque jour sérieusement les 4 francs rapportés par le mari.

Or, dans la cabane voisine, vit le ménage des Noviello. Ils sont un peu aisés, ils ont un enclos autour de leur cabane, avec une chèvre et quelques poules. Leur cabane est bien exposée, alors que le soleil ne pénètre jamais dans celle des Marzano. Ils sont presque riches... Mais le drame des Noviello est qu'ils ne peuvent pas avoir d'enfant, car on ne peut pas tout avoir sous le soleil de Naples, comme ailleurs.

A partir de cet état de fait, l'histoire peut se comprendre de deux façons : elle peut paraître sordide, car elle l'est évidemment, ou simplement logique dans un milieu à part, où il est possible que cette logique de la misère soit poussée jusqu'à l'absurde.

Il y a bien sûr un entremetteur, qui met en relation les Marzano et les Noviello, moyennant une légère commission, et Graziella vend son fils de six mois, le petit Domenico, en toute conscience. Il sera mieux élevé chez les voisins qui n'ont pas d'enfant, qui ont un peu de soleil, une chèvre et six poules !

Il est sûr que, au lieu de vendre son fils, elle devrait le donner à cette voisine ou le lui confier... non pas en retirer de l'argent, mais c'est raisonner dans notre morale, et notre société, avec nos tabous de gens nourris.

Dans le monde des bidonvilles, un enfant peut se payer : surtout un garçon qui pourra travailler et se débrouiller plus vite, aider ses parents, qu'ils soient naturels ou adoptifs.

C'est pourquoi Domenico est vendu pour la somme de 120 000 lires, soit à peu près, en 1958 : 1 000 francs, 100 000 centimes.

Mais là où la logique de ce système à part paraît poussée à l'absurde, c'est que Domenico est vendu : « A TEMPERAMENT », à crédit, comme une télévision.

Les Noviello ont une chèvre et six poules, une cabane bien exposée, ils n'ont pas d'autre enfant à nourrir, mais à part cela ils n'ont guère plus d'argent que les Marzano. Ce sont, comme eux, des miséreux du bidonville.

Leur revenu est un peu supérieur, certes. Dans les 800 à 1 000 lires par jour, c'est-à-dire dans les 6 à 8 francs. Avec cela ils pourront nourrir Domenico, puisqu'ils n'auront que lui...

Mais c'est tout. Ils ne peuvent pas payer 120 000 lires d'un coup. Pour mieux comprendre à quel point la vente à crédit de Domenico est considérée par les deux familles non comme un drame humain, mais comme une transaction, nous pouvons employer ici notre vocabulaire habituel de consommateurs.

Les Noviello, ne pouvant fournir ce qu'on peut appeler un apport personnel, demandent un crédit total au vendeur, et ils l'obtiennent sur dix ans. Ils paieront leur enfant par traites mensuelles de mille lires, soit 12 000 lires par an, 120 000 lires en dix ans.

Dix ans, car à partir de cet âge, dans la banlieue de Naples, un garçon est réputé capable de

152

rapporter quelque argent, d'une façon ou d'une autre. Détail encore plus choquant : au moment de la vente, les vrais parents de Domenico obtiennent, EN SUS, le remboursement au moment de la vente d'une somme de 50 000 lires et payables en deux fois, représentant le remboursement de cinq mois de nourriture achetée au bébé !

Cinq mois à 12 000 lires environ par mois, cela faisait 60 000 lires, mais les Noviello ont marchandé, et l'on a transigé à 50 000.

Ils vont donc régulièrement payer la traite mensuelle de 1 000 lires, soit 8 francs par mois, pendant presque dix ans ! Et ils ont intérêt à payer, sinon la famille Marzano crierait au voleur, et cela ferait un scandale qui viendrait aux oreilles des carabiniers.

Tout marche ainsi pendant huit ans et huit mois. De longues années durant lesquelles Domenico ignore qu'il est vendu. Il s'est attaché aux Noviello. Il croit qu'il s'appelle Noviello, il joue avec les enfants voisins sans savoir qu'ils sont ses frères et sœurs !

Huit ans et huit mois après ce marché extraordinaire, le père Noviello meurt à l'hôpital de Naples, et Mme Noviello ne peut plus payer les traites mensuelles. Il en reste seize, soit 16 000 lires, à peu près 150 francs français.

Or, Mme Marzano les exige, car un accord est un accord.

Elle menace, puis elle crie. Une Napolitaine qui crie la première finit toujours par avoir raison. Alors, Mme Noviello, qui n'a plus de ressources, se résigne à faire ce qu'elle voulait éviter : elle explique au petit Domenico.

Elle lui dit :

« Voilà, tu n'es pas mon fils. Je t'ai acheté aux Marzano, et, comme je n'ai pas pu t'adopter officiellement, tu t'appelles toujours Marzano. Il fallait bien que tu le saches un jour, à cause des papiers, mais j'aurais préféré plus tard, à présent, tu as bientôt dix ans, je suis seule, et j'ai encore seize mois de traites à payer pour toi. Or je ne peux plus et je risque de te perdre, car ta mère réclame son argent. »

Voilà ce que raconte aux carabiniers le petit Domenico, assis sur le carrelage contre le radiateur d'un commissariat de Naples, un soir de décembre 1958.

Et voilà pourquoi il a été surpris à démonter les enjoliveurs d'une voiture américaine. Parce qu'il s'est mis à voler avant l'âge de dix ans, pour payer, à la place de sa mère qui l'avait acheté, ce qu'elle devait encore à la mère qui l'avait vendu !

Domenico ne jugeait ni l'une ni l'autre de ses mères, il estimait simplement que c'était à lui, désormais, de terminer cette affaire, en payant ses dernières traites, pour qu'il n'y ait pas de scandale. En résumé, cet enfant volait pour s'acheter lui-même à sa mère !

Alors il y a eu scandale, bien sûr, et des articles dans les journaux, et une enquête. Mme Marzano, coupable, selon la loi italienne, « d'abandon et manque d'assistance morale à enfant », encourait de une à cinq années de prison, mais l'opinion publique émue a fait pression.

On a permis à Mme Noviello d'adopter Domenico, ce qui revient à dire que la loi a fermé les yeux.

Domenico a été confié à une œuvre jusqu'à sa majorité, et il a appris le métier de tourneur.

Il a aujourd'hui trente ans, quelque part dans le grouillement de Naples... Mais il n'a pas attendu le nombre des années pour en connaître la valeur.

20

LE SAINT CHRISTOPHE
DU NIAGARA

En lisant la nouvelle dans le journal, M. Joseph, le patron de l'hôtel Saint-Laurent, ne peut s'empêcher de bondir dans son rocking-chair. « De plus en plus fort, défiant définitivement les lois de l'équilibre, Blondin traversera dimanche les chutes du Niagara avec un volontaire sur ses épaules ! »

Blondin est devenu complètement fou. Cette fois il va trop loin, c'est un véritable suicide. Il faut le dissuader d'entreprendre une telle folie. En tant que syndic de l'Association des hôteliers du Niagara, M. Joseph se doit d'empêcher le funambule de se lancer dans une telle aventure.

M. Joseph se précipite sur son manteau, son chapeau et sa canne, et le voilà parti.

Quelques instants plus tard, il arrive à l'entrée du *Blondin Theater,* bouscule le portier et se rue littéralement sur Blondin qui s'entraîne, un homme sur les épaules.

« Ça ne va pas, non? » hurle M. Joseph en brandissant le journal comme une menace.

La brutalité de l'agression fait tanguer dangereusement le funambule qui manque de perdre l'équilibre, ce qui ne serait pas grave, car la corde d'entraînement est à 1 mètre du sol. Ayant rétabli sa position, Blondin demande d'un air impavide :

« Qu'est-ce qui vous arrive, Jo? »

Ce qui lui arrive, M. Joseph le débite en vrac : Blondin va trop loin, il va si loin qu'il va réussir à tomber dans les chutes, et il ne doit pas prendre ce risque. Les riverains tiennent à Blondin. Voilà près de dix ans qu'il fait venir à « Niagara Falls » des milliers de personnes pour assister à ses exploits et que tout le monde y trouve son compte.

Donc, conclut M. Joseph :

« Saute sur ta corde, gambade dessus les yeux fermés, balance-toi sur une chaise, accroches-y un fourneau à charbon de bois et fais-y cuire des crêpes si tu veux, d'accord. A la rigueur, offre-toi le luxe de traverser les chutes avec quelqu'un dans une brouette, comme la semaine dernière, mais avec un homme sur ton dos, pas question!

— Et pourquoi? » demande Blondin qui s'accroupit tranquillement pour permettre à son partenaire de descendre.

M. Joseph fait signe au funambule qu'il veut lui parler seul, et, lorsque le partenaire s'est éloigné, il reprend son argumentation.

« Parce que tant que tu restes maître de la situation, c'est gagné. Tant que les accessoires ne bougent pas, tout va bien, mais lier ton sort à un individu qui peut avoir des réactions imprévues, c'est un suicide! Quand tu seras au milieu du gouffre, avec 40 mètres de vide et le bouillonnement des chutes, tout peut arriver! Tu le sais! Ne taquine pas la chance... »

Blondin écoute avec un sourire amusé ce brave M. Joseph. Il a été le premier à lui faire confiance, et, pour sa première traversée, il lui a avancé 1 500 dollars d'acompte exigés pour la fabrication de la corde. Comme Blondin ne pouvait pas lui donner de garantie en échange, le brave homme avait dit :

« Une garantie? Je n'en aurais besoin que si vous tombiez dans le fleuve. Mais vous ne tomberez pas, vous savez calculer les risques. A vingt-six ans, on sait ou on ne sait pas, et ça se voit! »

Blondin a trente-six ans à présent, et voilà que le même homme lui demande de renoncer :

« Blondin, tu ne peux pas nous faire ça?... » dit-il.

Cette franchise bien américaine amuse Blondin le Français. « Nous » les commerçants, « nous » ne voulons pas te perdre, car te perdre c'est perdre de l'argent. Voilà ce que veut dire M. Joseph qui cependant aime bien Blondin.

Au cours d'une tournée où il était funambule, Blondin, qui s'appelait alors Charles Gravelet, a décidé de tenter la traversée du Niagara sur un fil, et en dix ans, il est devenu le plus célèbre fil-de-fériste du Nouveau Monde. Voilà pourquoi, après avoir écouté poliment M. Jo, Blondin, « l'empereur des funambules », l'homme qui défie les lois de la pesanteur, renvoie le brave hôtelier à ses fourneaux en lui demandant simplement et avec le sourire une petite prière pour qu'il n'y ait pas de vent dimanche prochain. Or, le dimanche suivant, il y a du vent. Une bonne brise imprime à la corde un balancement dont un funambule se passerait bien, et dont il doit se passer s'il est raisonnable.

La corde, un gros filin de 7 centimètres de diamètre, est en chanvre et a été spécialement fabriquée pour lui. Elle est ancrée d'un côté de la chute à un rocher, et passée au-dessus du vide sur 300 mètres, s'enroule de l'autre côté autour d'un cabestan scellé dans le roc.

Le problème est qu'il est impossible de tendre parfaitement cette corde, vu son poids et sa longueur. Elle fait obligatoirement une courbe, qui en son milieu est à 10 mètres plus bas que les extrémités, et ce creux facilite le balancement. Sur l'estrade de départ, Blondin, en collant couleur chair et maillot à paillettes, observe attentivement les oscillations. Les jardins sont pleins de monde, et, en comptant tous les spectateurs massés sur les rives, côté américain et côté canadien, il y a là une centaine de milliers de personnes venues pour voir le « Frenchie » boire la tasse.

Car tous les journalistes l'ont dit et toutes les gazettes l'ont annoncé : Blondin court au suicide. Cette fois, c'est une certitude, pas une publicité, et c'est à cause de cette certitude que ces gens sont venus de partout. Comme au temps de César, ils remplissaient l'arène pour voir le lion dévorer le gladiateur.

Lorsque Blondin fait monter son partenaire

sur ses épaules, un long cri d'enthousiasme s'élève de la foule.

Le partenaire est un jeune ouvrier plâtrier d'origine russe, prénommé Yvan. Blondin l'a choisi parmi quelques volontaires, pour son calme, son sens de l'équilibre et son poids.

Après un instant de concentration, Blondin entame son parcours sans hésitation, et la première partie se passe sans histoires.

Ses chaussons de peau glissant le long de la corde, Blondin avance pas à pas. Assis sur ses épaules, Yvan se tient à son cou et appuie ses pieds sur le balancier qui oscille légèrement, tantôt à droite, tantôt à gauche. Soucieux des consignes, il regarde au loin droit devant lui, essayant de fixer sa pensée et son regard sur un point unique et invisible : la hauteur de l'horizon. Mais, depuis un instant, Yvan a l'impression que Blondin ralentit le pas et que sa démarche est moins assurée. Il lutte pour chasser cette idée lorsque, sous lui, le funambule s'arrête.

Et, dominant le bruit de la cataracte qui bouillonne 40 mètres au-dessous d'eux, Yvan entend la voix de Blondin monter jusqu'à lui, sur un ton volontairement uni :

« Descends ! »

Or ce moment fait partie de ceux dont l'intensité est tellement extravagante que la réaction de ceux qui le vivent est souvent tout à fait inattendue. C'est le cas d'Yvan qui demande stupidement, n'en croyant pas ses oreilles :

« Plaît-il ? »

Mais l'ordre revient aussitôt impératif :

« Descends, ou on se casse la figure ! »

Yvan a beau être calme et peu sujet au vertige, la situation est dramatique, car il n'a jamais été question de faire un équilibre semblable. Le plâtrier n'a jamais répété ces gestes précis qui permettent d'atterrir sur une corde de 7 centimètres de diamètre et qui, de plus, se balance sous l'effet du vent.

Blondin, les dents serrées, le ton toujours uni et calme, poursuit :

« Accroche-toi à mon maillot et descends doucement, lorsque je serai accroupi, pas avant. »

Yvan est paralysé par la peur, mais la voix calme et le ton impératif du funambule l'obligent à s'exécuter.

Lorsque la foule voit le partenaire de Blondin descendre lentement du dos du funambule, un murmure d'admiration monte vers les deux hommes. Les spectateurs ne voient là qu'un supplément au programme.

Quand le pied d'Yvan se pose sur la corde, puis le second, et que les deux hommes se redressent lentement, centimètre par centimètre, une clameur immense jaillit de la foule ravie. En fait, Blondin est épuisé. Le poids de sa charge et le ballant de la corde provoqué par le vent lui ont coupé les jambes.

En professionnel, il a préféré reprendre son souffle et se décontracter quelques instants avant d'aborder la dernière moitié du parcours.

C'est ce qu'il explique à Yvan qui, soudé à lui dans son dos, ne remue pas un cil et écoute les ordres.

162

« Pour remonter sur moi, tu vas poser les pieds l'un après l'autre sur le balancier, puis passer sur mes épaules.

— Non. Je ne pourrai jamais », répond Yvan.

Blondin lui explique qu'en s'y prenant doucement, sans à-coups, et en suivant bien ses ordres, il ne risque rien. Mais dans son dos, Yvan, raide de frousse, craque d'un coup. Il dit qu'il ne veut pas mourir, et les paroles rassurantes de Blondin n'ont plus aucun effet sur lui. Alors, à son tour, le funambule se laisse gagner par la panique. Cela ne lui était jamais arrivé, mais il sent que la mort est là, tout près, 40 mètres plus bas, dans le grondement des eaux du Niagara, s'il n'invente pas quelque chose immédiatement.

Alors, rassemblant toute son autorité, et faisant de sa propre peur une menace convaincante, il crie à son partenaire :

« Je te fiche en bas et je continue tout seul, si tu n'obéis pas ! »

Et il obtient l'effet escompté; le plâtrier dit d'une voix blanche qu'il va essayer. Et Blondin réplique :

« Tu ne vas pas essayer, tu vas le faire ! »

Sans perdre une seconde, sans laisser le temps à Yvan d'avoir peur à nouveau, il commence à s'accroupir, indiquant geste après geste à Yvan ce qu'il faut faire pour remonter sur ses épaules. Quelques instants plus tard, le plâtrier est sur son dos, et un immense « hourra » monte de la foule lorsque le « Frenchie » reprend sa marche en avant.

Arrivé de l'autre côté, sur le rocher où est

ancrée la corde, Blondin se repose longuement et trouve encore la force de plaisanter avec son partenaire pour lui maintenir le moral.

Car il faut revenir de l'autre côté. Il faut refaire les mêmes 300 mètres en sens inverse et, Blondin ne le cache pas à son partenaire, il faudra faire une pause à nouveau, sinon deux.

L'entracte se prolonge un peu trop au gré des spectateurs; des sifflets montent déjà de la foule inconsciente du drame qui se joue au-dessus d'elle. Ils sont venus pour voir un aller retour, et ils ont encore l'espoir et la peur vague d'assister à un accident spectaculaire. La foule attend. Mais le retour se fait comme l'aller, sans histoires.

Blondin fait deux pauses, Yvan descend et remonte deux fois, et à l'arrivée des hurlements de joie saluent leur exploit.

« Je ne suis jamais passé si près de la mort, dira Blondin aux journalistes qui avaient parié qu'il la rencontrerait. Yvan a eu de la chance, car la publicité faite autour de mon nom lui a permis de monter sa propre entreprise : " le plâtrier du Niagara ". »

Après cette performance qui faillit être la dernière, Charles Gravelet, alias Blondin, entreprit une vaste tournée à travers le monde et fut partout accueilli et fêté comme il le méritait.

Bien des années plus tard, il revint s'installer à « Niagara Falls », où il fit construire une superbe maison. Nommé citoyen d'honneur de la cité des chutes, il y vécut une existence paisible jusqu'à l'âge de soixante-douze ans. En racontant ses souvenirs aux jeunes mariés venus passer leur lune de miel aux chutes et aux enfants ébahis.

En racontant l'histoire du plâtrier, Blondin souriait en disant :

« Celui-là, je l'ai sauvé des eaux, en le ramenant sur mes épaules, comme saint Christophe. »

21

UN JOUR SANS IMPORTANCE

MONSIEUR PELLIER regarde son fils et se rend compte qu'il ne l'a vraiment jamais regardé. Est-ce qu'on regarde quelqu'un qu'on aime ? Non. Or, depuis vingt et un ans que ce gamin-là est son fils, M. Pellier ne l'a jamais vraiment regardé.

C'est qu'ils étaient heureux et que rien de grave ne leur était arrivé. Aujourd'hui, tout est arrivé.

« François, tu as fait quelque chose de grave ?

— Comment ça, quelque chose de grave ? » François a un petit sourire étonné et curieux à l'adresse de son père.

« Qu'est-ce que ça veut dire grave ? En voilà une question !

— Tu es sûr, François ? »

Evidemment, qu'il en est sûr ! il en a même l'air.

Mais qu'est-ce qu'il y a ? Que s'est-il passé ? Où il était aujourd'hui ? A la pêche dans la montagne, le père le sait bien !

Pourquoi il n'est pas rentré plus tôt ?

Quelle importance ! Il n'était pas prévu de retour à heure fixe, on est en vacances !

Non, ce ne sont plus des vacances...

Ils ne sont plus heureux, la pêche, c'est fini, il n'ira plus traîner dans les montagnes et se coucher tranquillement, comme d'habitude. Pas ce soir, car ce soir la vie a changé, le bonheur a basculé.

Il y a la mère dans la cuisine, les yeux rougis d'inquiétude.

Il y a le père qui tourne en rond et se torture de questions.

Ce soir, il faut se regarder en face, car ce matin les gendarmes sont venus.

Ils ont frappé à la porte du chalet, et ils ont dit :

« Vous êtes bien M. Pellier, crémier, en vacances ? Vous avez bien quitté votre domicile le 3 août, avec votre fils François Pellier, âgé de vingt et un ans, taille 1,78 mètre, yeux noirs, cheveux noirs, célibataire, sans profession, demeurant avec vous à ce jour ?... »

Comme c'était curieux cette façon de parler de François.

M. Pellier y reconnaît à peine son fils. On ne parle ainsi que des voleurs ou des assassins.

Or, les gendarmes pensent que François est les deux ; en tout cas qu'il est complice, et c'est pour l'interroger qu'ils étaient venus.

La police a arrêté deux hommes sur trois pour un gros vol dans une bijouterie. Le bijoutier a été gravement blessé, il en est mort deux jours plus tard, et les deux hommes ont désigné leur troisième complice.

« François Pellier était avec nous, il conduisait la voiture ce jour-là... Nous nous sommes enfuis avec lui. » C'est lui le troisième voleur, lui le troisième assassin, lui, François Pellier.

« Alors, où est-il ? ont demandé les gendarmes.

— Il n'est pas là, a dit le père, et je ne sais pas où il est.

— Nous reviendrons, ont dit les gendarmes, c'est grave. »

Voilà pourquoi M. Pellier regarde son fils comme il ne l'a jamais regardé depuis vingt et un ans.

Et il ne voit qu'un grand gaillard aux cheveux ébouriffés, aux yeux stupéfaits, paralysé de surprise.

« François, tu dois me dire la vérité !

— La vérité ! Mais quelle vérité ? A propos de quoi ? »

François n'a jamais cambriolé de bijouterie, ni tué personne ! Qui dit ça ? Qui ? Qui sont ces deux hommes qui l'accusent ? Ces deux fous ?

« Emile et Louis !

— Emile et Louis ? » Mais il les connaît à peine. Ce sont d'anciens camarades d'école, c'est vrai, et il les voit souvent au café de la place, mais François ne les fréquente pas.

« François, pourquoi t'auraient-ils dénoncé, si tu n'étais pas avec eux ? »

François ne sait pas. Non, il ne sait pas, peut-être pour ne pas dénoncer l'autre. Ils ont dû dire un nom comme ça! Ce n'est pas possible autrement! Pas possible!

« Papa, tu me crois au moins? »

M. Pellier regarde toujours son fils, il cherche, cherche sur ce visage quelque chose qu'il n'aurait pas vu, qu'il ne connaîtrait pas. Quelque chose d'inconnu, qui ferait de François, son fils, un voleur, un assassin et un menteur.

Mais il ne voit rien.

Il ne voit que le François, tout frais sorti du service militaire...

Le François qui cherche un emploi et fait la cour aux filles.

Le François qui fait tourner sa mère en bourrique, qui sème la pagaille dans la cuisine, qui inonde la salle de bain et claque les portes comme des tambours de fête.

Le François de tous les jours, son fils! Et il croit son fils.

Il le dit fort, avec des larmes aux yeux, car le problème reste entier. Cette histoire de hold-up s'est passée il y a quatre mois, le 23 avril au matin, ont dit les gendarmes. Alors, il s'agit de savoir ce que faisait François ce matin-là, le 23 avril, entre 11 heures et midi.

Le 23 avril c'était un jeudi, mais comment François pourrait-il se rappeler ce qu'il faisait le jeudi 23 avril?

Qui pourrait se rappeler quatre mois après ce qu'il a fait un jeudi 23 avril? Il y a tant de jours sans importance dans la vie, des jours qui ne mériteraient pas d'être marqués d'une pierre blanche, sans anniversaire, sans rencontre, sans témoin, des jours perdus pour la mémoire.

Des jours qui feraient dire à n'importe quel gendarme :

« Donc... vous n'avez pas d'alibi ? »

François n'a pas d'emploi, donc pas de patron qui pourrait dire :

« Il était à son travail. »

Depuis son retour de l'armée, il est un peu en vacances, il attend, se lève tard, aide un peu à la crémerie, traîne en ville et fait quelques livraisons pour le magasin, mais rien de solide, rien de précis pour un souvenir, et surtout rien de concret pour un alibi. Ce sera sa parole contre celle des autres.

Mais on le croira, puisqu'il est innocent. Il arrivera bien à le prouver.

« Non, dit le père, non, ils ne le croiront pas. »

Un homme est mort et des bijoux ont disparu. Plusieurs millions. Les deux voleurs espèrent sûrement en profiter un jour, peut-être même ont-ils inventé un troisième homme pour se décharger sur lui, tout simplement, non.

On ne prouve rien de bonne foi, la bonne foi est une faiblesse dans ces cas-là. On enfermera François avec sa bonne foi, et il ira en prison perdre des années de sa vie, les plus belles, les plus importantes, celles où un garçon décide de devenir un homme, et ça il n'en est pas question. François va partir et se cacher le temps qu'il faudra.

Le temps nécessaire à M. Pellier pour retrouver ce 23 avril.

Il ira partout, voir tout le monde et question-
ner tout le monde. Ça se retrouve un 23 avril, on
ne perd pas un jour comme ça, sans retrouver ce
qu'on en a fait. Il y a bien quelque part, dans la
mémoire de quelqu'un, quelque chose qui donnera un sens à ce 23 avril. M. Pellier trouvera, il y
mettra le temps qu'il faut, l'acharnement qu'il
faut, mais il ne veut pas d'un François en prison.
Que François disparaisse, qu'il se terre, qu'il ne
bouge plus, qu'il ne parle plus, qu'il ne dise plus
son nom nulle part.

Voilà de l'argent, une valise, on le préviendra
quand il pourra sortir de son trou. François
hésite sur le pas de la porte ouverte sur la nuit,
sur l'inconnu, il regarde son père, comme il ne l'a
jamais regardé.

« Fous le camp, François, je trouverai. »

Alors, quand les gendarmes reviennent, M. Pellier n'a toujours pas vu son fils, il ne sait toujours
pas où il est, et les gendarmes s'en retournent
persuadés que François est en fuite, donc qu'il est
coupable. Coupable, disent les voisins, les amis,
les policiers, le juge. Coupable puisqu'il se cache,
coupable puisque les deux autres, ses complices,
ne démordent pas de leur accusation.

Le 23 avril 1963, entre 11 heures et midi, François était au volant d'une voiture volée, moteur
tournant devant la boutique du bijoutier. Le
hold-up accompli, la voiture a démarré en
trombe. Personne n'a vu François, mais les passants ont vu la voiture démarrer, avec les voleurs
à l'intérieur. Etaient-ils deux ou trois ? Qui peut le

dire? Deux disent les uns, trois disent les autres, ou plusieurs...

Blond? Brun? Grand? Maigre? Jeune? Pourquoi discuter puisque deux voleurs en accusent un troisième, puisqu'ils avouent. Mais M. Pellier, lui, se moque de tout ça. Il se moque des aveux, des témoignages du dossier, de tout, sauf du 23 avril, mais du 23 avril de son fils François : un jeudi entre 11 heures et midi. Il va voir le dentiste, le médecin, le mécanicien, l'épicier, les copains, la petite amie, il cherche une heure de la vie de son fils dans la mémoire et les papiers des autres autant que dans les siens. Un rendez-vous, une rencontre de hasard, une visite, le moindre détail, le moindre petit bout d'un fil invisible perdu dans le quotidien.

M. Pellier a tant retourné la maison, les papiers, les agendas, les factures, qu'il a l'impression de les connaître par cœur. Où était François? Au magasin? En livraison? En promenade? Nulle part... et c'est désespérant.

C'est comme si ce 23 avril était un jour oublié, sans couleur ni raison, un jour donné et perdu, un jour pour rien.

Et les autres jours passent, ceux du mois d'août, ceux du mois de septembre, d'automne, d'hiver et de printemps. François est introuvable pour la police depuis six mois déjà. Le dossier du hold-up a un an, le procès est fixé, et M. Pellier cherche toujours, cherche encore.

Ce 23 avril est devenu une idée fixe, et, plus le temps passe, plus il se perd dans le brouillard, plus il disparaît.

Le jour du procès, lui, est un jour identifiable et affiché.

C'est une date noire qui condamne François Pellier à mort par contumace et ses complices à perpétuité.

Un accusé en fuite est un coupable de choix pour ceux qui restent.

Désormais, M. Pellier est donc le père d'un condamné à mort.

Et il porte seul la responsabilité, l'angoisse de cette question :

« Si je l'avais livré, ils ne l'auraient peut-être pas condamné ? »

C'est un homme usé, vieilli, qui le soir, dans sa boutique fermée, feuillette inlassablement ses livres, ses factures, ses bons de livraison, tout ce qui pourrait donner une lumière à ce 23 avril.

Dire qu'il est désespéré n'est qu'un mot. Et il l'a tant cherché, ce 23 avril, que de le voir là, écrit, sous son nez, sur un bout de papier minuscule, il n'y croit plus. Et pourtant, c'est écrit de la main de François : *23 avril 1963, M. L... pâtissier, 5 litres de crème chantilly.*

C'est le double d'un bon de livraison.

François aurait livré 5 litres de chantilly à M. L... le 23 avril. Mais alors, si François a livré, si le double est là, il doit y avoir chez M. L... l'original du bon de livraison, signé par lui, et M. L... s'en souviendra !

M. L... est à des kilomètres de la crémerie, dans une autre ville, pourvu qu'il s'en souvienne.

M. L... fait mieux, il a même retrouvé le bon, au bout d'une semaine, et au milieu d'une bonne centaine de bons de livraison. C'était bien le 23 avril, c'était bien François. M. L... avait téléphoné vers 10 heures pour passer la commande, c'était un jeudi, et François était arrivé avant midi, comme convenu au téléphone, la chantilly était pour un saint-honoré livré au restaurant voisin qui recevait un banquet. Il était là, le petit papier tout bête, l'alibi ! Au fond d'un classeur : 23 avril 1963, avec un numéro de carnet écrit par François, signé par M. L... avec son bon souvenir et sa certitude, enfin !... le jour, l'heure, tout était là pour faire de François un innocent indiscutable.

François Pellier s'est constitué prisonnier le lendemain, 17 novembre 1964, pour peu de temps. Le temps de redevenir innocent, mais le temps aussi de voir mourir son père en décembre.

Son père, mort du cœur, mort d'épuisement et du devoir accompli.

22

ON NE TRICHE PAS
AVEC LA MORT

« FAITES vos jeux, mesdames et messieurs ! »

D'une voix monocorde, Dino Carisi, le croupier de la table n° 3, répète pour la seconde fois son invitation à faire les mises. Un coup d'œil discret à sa montre lui indique que dans dix minutes ce sera la relève. La soirée est maussade et sans aucun intérêt. Des petits joueurs, aucun frisson, rien d'excitant. La salle de jeu de Miami, la plus réputée pour son « tout va », ronronne sans éclat. Pourtant, en ce début de siècle, la formidable attraction qu'exerce la roulette sur les joueurs commence à faire son effet. Et, de tous les Etats-Unis, on vient jouer « gros jeu » à la roulette du *Palm Beach* de Miami. Le croupier étouffe une toux discrète :

« Les jeux sont faits, rien ne va plus ! »

La bille effectue encore quelques cabrioles et s'immobilise...

« Le 32 rouge pair et passe. »

D'un coup d'œil expert, Dino juge de l'importance des pertes : rien en plein sur le 32, ni à cheval avec les six numéros qui l'entourent, pas plus qu'au carré, sur quatre numéros, quelques traditionnels jeux simples. Sauf 1 000 dollars sur le rouge. 1 000 dollars-or, c'est déjà une somme. C'est le petit homme en noir, assis précisément devant le rouge, qui les a joués. Aucune imagination, pense Dino. On arrive, on joue devant soi sur une chance simple, on touche et on s'en va. Le vrai joueur se perd. Et il annonce selon la coutume :

« 1 000 dollars au rouge ! »

Mais le petit homme en noir ne ramasse pas sa mise, il « reste couvert » selon l'expression consacrée. Ce qui est son droit le plus strict.

« Faites vos jeux, mesdames et messieurs ! »

Dino Carisi jette un regard inquisiteur vers le petit monsieur en noir. Il n'a pas bronché. A son petit costume étriqué, on devine quelque gros commerçant de province, habitué au poker de saloon et descendu faire connaissance avec le grand frisson de l'enfer du jeu.

« Rien ne va plus ! »

La bille n'en finit pas de rebondir de case en case, et le croupier annonce enfin :

« Le 5 rouge impair et manque. »

Rien au 5, ni en double, ni en carré. Il y a bien 10 dollars aux douzaines et 40 dollars sur impair, des broutilles. Mais il y a aussi 2 000 dollars sur le rouge.

Le croupier pousse l'argent avec son râteau, et le petit homme en noir ne bronche pas. Bien calé dans son fauteuil, la tête appuyée sur sa main gauche, un sourire aux lèvres, les yeux sur sa mise, il semble subjugué par sa chance : 4 000 dollars, c'est une belle somme.

A présent, il va les retirer, pense Dino, le croupier, qui laisse passer quelques secondes... Mais le joueur ne fait pas un geste. « Il est plus fort que je ne le pensais », se dit le croupier qui, des yeux, cherche le colonel Flaherty, le grand maître des lieux. 4 000 dollars sur les chances simples, cela commence à faire du bruit, et, chaque fois que les gains risquent de dépasser 5 000 dollars, il est prévu de demander avis au colonel Flaherty.

« Rien ne va plus ! » annonce le croupier en cherchant dans la salle la silhouette du colonel, mais la bille s'arrête tout de suite, avant qu'il l'ait aperçue :

« Le 16 rouge... »

Pour un peu, Dino en oublierait d'annoncer que c'est pair et manque. Et il n'a toujours pas trouvé le colonel. D'un signe discret, le croupier fait signe à un garçon de salle d'aller le chercher. Il est de tradition, au *Palm Beach,* de ne jamais refuser la mise, quelle qu'en soit son importance, mais de se réserver le droit de fermer la table, à tout moment, à la demande de la direction. Dans ce cas, le colonel Flaherty accorde trois jeux après l'annonce de la fermeture. Ce sont ces « règles », un peu spéciales, qui ont fait et continuent de faire la réputation de l'établissement.

Dans les autres boîtes de jeu, on limite généralement les mises ou on prend la liberté de les refuser à tout moment. Ce qui manque d'élégance, comme a coutume de le répéter le colonel Flaherty qui arrive précisément. Ancien de la guerre de Sécession, Flaherty est un colosse de 1,85 mètre qui a la réputation de ne jamais se départir de son flegme. Sans échanger un mot, sur un simple coup d'œil, il apprécie la situation.

Il y a maintenant 8 000 dollars sur le rouge, devant le petit homme en costume foncé qui ne bronche toujours pas. D'un geste discret, le colonel confirme la pensée du croupier, il faut fermer la table.

Tandis qu'il annonce à voix haute cette sage décision qui limite le jeu à trois tours au maximum, Dino Carisi pense que le petit homme au complet noir a tort : espérer que le rouge va sortir une quatrième fois de suite, c'est spéculer sur une chance inouïe. Bien sûr, il y a eu des séries de couleurs célèbres : sept, huit ou même dix fois de suite, mais cela arrive une fois tous les dix ans, et à une table sur des centaines d'autres. Mais :

« Faites vos jeux !... Rien ne va plus... »

Et c'est le 36 qui sort, et le 36 est rouge, et 8 000 dollars supplémentaires vont rejoindre le tas impressionnant qui s'amoncelle devant le petit homme en noir. Calme, souriant et impavide. Et, comme il ne bronche toujours pas et qu'il laisse encore tous ses gains sur le rouge, il faut encore faire tourner la roulette.

La nouvelle a fait le tour de la salle. Toutes les autres tables sont désertées par les joueurs curieux :

« Il y a un type qui vient de faire un report de quatre, venez, ça vaut la peine... »

180

La roue tourne, et c'est l'as qui sort! le 1... et le 1 est rouge! Ce qui est indubitablement 32 000 dollars. Pour payer, il faut aller chercher de l'argent à la caisse principale : 32 000 dollars, cinq fois de suite le rouge c'est exceptionnel, et il est heureux que le colonel ait pris la décision de fermer la table, car il ne reste plus qu'un seul tour à jouer, et on ne sait jamais.

« Faites vos jeux! » dit le croupier les yeux rivés sur le joueur immobile, s'attendant à voir disparaître de la table la pile d'or...

Le petit joueur en noir laisse ses 32 000 dollars sur le rouge. Il est fou. Un silence de mort règne sur les lieux.

On n'entend plus que le bruit de la bille qui caracole sur les cases. Le colonel a laissé tomber son cigare et sorti son carnet de chèques, ce qui, pour lui, est une façon de conjurer le sort. Une chance sur deux : le noir ou le rouge, et le rouge est déjà sorti cinq fois de suite. Chaque spectateur, tendu comme un arc, s'immobilise, souffle suspendu... regard fixe.

La bille a trouvé sa place, le croupier freine doucement le disque bicolore, les couleurs se précisent, les respirations se bloquent, on entendrait battre les cœurs et voler une mouche : c'est le 19, et le 19 est rouge.

Un grondement d'admiration monte de la foule amassée autour de la table n° 3, fait d'étonnement, de jalousie, de superstition et de plaisir mêlés : 64 000 dollars! Le petit homme minable, qui avait joué 1 000 dollars sur le rouge, vient de gagner 64 000 dollars!

Comme le colonel Flaherty s'approche de lui et lui tape sur l'épaule pour le féliciter, car la réputation de l'établissement compte avant tout, le petit homme en noir bascule en avant, tête sur la table, éparpillant ses 64 000 dollars. Ce n'est pas l'émotion. Il est mort. Le malheureux s'appelle Lesieur ; il est d'origine française et occupait la profession de coiffeur dans une petite ville du Connecticut. Il avait voulu connaître l'enfer du jeu, il avait connu le Paradis.

Prévenus, ses enfants arrivent à Miami et, les formalités habituelles remplies, vont voir le colonel Flaherty. Avec beaucoup d'émotion, celui-ci leur raconte l'histoire de leur pauvre père et leur remet une enveloppe dans laquelle se trouvent deux billets de 1 000 dollars. Surprise des héritiers !

Pourquoi seulement 2 000 dollars alors que la ville entière parle de 64 000 dollars ? Explication du colonel :

« Votre père est mort tout de suite après avoir déposé son billet de 1 000 dollars sur le rouge. Je vous donne donc uniquement son premier gain. » Mais cette explication n'est pas du goût des héritiers. Qui dit que leur père est mort à ce moment-là ? On discute, on argumente, le ton monte et, chacun se traitant de voleur, on se retrouve devant le tribunal.

« M. Lesieur est mort aussitôt après avoir déposé sa mise, dit l'avocat du colonel.

— Prouvez-le », réplique celui des Lesieur, qui demande à son confrère ce qu'aurait fait le casino si le noir était sorti au dernier coup !

« Vous auriez repris tout son argent sans vous soucier du moment où il était mort, n'est-ce pas ? Et qui vous dit que ce n'est pas le fait de se voir gagner 64 000 dollars qui a provoqué la mort de mon client ? On meurt plutôt d'émotion, quand on meurt subitement, vous ne croyez pas ? »

C'est frapper au coin du bon sens, et le tribunal donna raison aux héritiers qui empochèrent les 64 000 dollars du casino. M. Flaherty modifia son règlement en conséquence. Il limita les mises à 1 000 dollars. La mort lui avait joué un vilain tour, il convenait à l'avenir de s'en méfier, car, en fait, c'est bien là la seule chose avec laquelle il est impossible de tricher !

23

LE HORS-LA-LOI

DON GNOCCHI aime Dieu. Don Gnocchi est un bon prêtre, mais il lui arrive parfois de se poser des questions. Il admet que les voies de Dieu sont impénétrables, mais comment pourrait-il admettre que Dieu ait décidé ça !

Ça : c'est une loi italienne qui date du début du siècle. Une loi qui dit : « Il est interdit de pratiquer les greffes de cornée. »

Non, c'est une loi des hommes, et, plus absurde encore, c'est une loi des hommes italiens.

En 1952, tous les pays d'Europe, pour sauver la vie de milliers d'hommes, ont admis les greffes de cornée, tous sauf l'Italie. Alors Don Gnocchi préfère parler au Bon Dieu qu'à ses saints. Il va demander une audience au pape Pie XII.

Il n'est peut-être qu'un petit curé audacieux, mais tout petit curé a le droit de demander une audience au pape, et dans ce cas il en a même le devoir.

Au secrétariat pontifical, le troisième secrétaire

de Sa Sainteté Pie XII se voit dans l'obligation toutefois de demander à Don Gnocchi la raison de cette demande d'audience — tant de gens assiègent le Vatican, tant de gens réclament des grâces ou des passe-droits... Mgr le troisième secrétaire doit savoir !

Si Don Gnocchi veut bien se donner la peine d'exposer le but de sa demande, Sa Sainteté appréciera !

Mgr le troisième secrétaire écoute donc avec la bonté de l'habitude l'exposé de Don Gnocchi.

Mais ce n'est pas un exposé, c'est un drame, dit avec toute la simplicité, toute la pudeur et aussi toute la rage de Don Gnocchi. Et, devant ce visage pâle et enflammé à la fois, devant ce petit prêtre acharné au combat, Mgr le troisième secrétaire change de visage. Don Gnocchi n'est pas un orateur, mais il n'a pas besoin de cela. Don Gnocchi dit simplement qu'il va mourir.

Il sait qu'il va mourir ! Dans un mois, dans une semaine, demain peut-être. Il est malade de ce fléau que l'on n'ose pas toujours appeler par son nom. Il a voulu l'ignorer pendant trop longtemps, et maintenant il est trop tard. Alors, il veut que sa mort serve à quelqu'un, tout simplement.

Don Gnocchi a fondé un institut pour enfants handicapés.

Il a chez lui deux mille petits infirmes, des sans-famille, des pauvres, des gosses qui traîneront leur malheur toute leur vie, sauf un, peut-être : le petit Sylvio.

Sylvio a dix ans. Sylvio est le petit dernier

d'une misérable famille de sept enfants qui ne connaît pas les jouets.

Un jour, Sylvio jouait au plâtrier, comme son père, avec de la chaux vive, de l'eau chaude et une boîte de conserve, et cette petite bombe lui a explosé au visage !

Sylvio est aveugle. Mais on peut le sauver. On peut lui rendre la vue, car une greffe de cornée réussirait à 100 p. 100, a dit le médecin.

Alors Don Gnocchi, sachant qu'il va mourir, veut donner ses yeux au petit Sylvio, et la loi ne le permet pas !

Mgr le troisième secrétaire de Sa Sainteté le pape se sent bousculé dans sa routine bienveillante, et son visage se ferme. Il se ferme de réprobation et de gêne. De la réprobation, car l'Eglise n'est pas favorable à ce genre de charité ordonnée par les hommes. Les voies de Dieu sont impénétrables, et, si Dieu a rendu aveugle, ce n'est pas à l'homme d'y changer quelque chose, notre corps ne nous appartient pas.

Et de la gêne, car il est difficile de répondre non à un homme dans la position de Don Gnocchi, un homme qui va mourir et veut sauver un enfant. Allons... Don Gnocchi verra le pape en audience particulière. Quelque temps plus tard, l'organe de presse du Vatican annonce officiellement que le Vatican est favorable aux greffes de la cornée, qui se pratiquent d'ailleurs dans tous les pays européens.

Don Gnocchi et Sa Sainteté Pie XII se sont compris, dans le secret d'une entrevue dont le petit curé garde jalousement les termes. Il ne revendique pas de victoire. Il est en accord avec la conscience officielle de l'Eglise, c'est le principal. Et il peut passer aux actes, il était temps. Sur son lit d'hôpital, Don Gnocchi sait que chaque jour compte. Depuis plusieurs semaines, il a dû abandonner la direction de son orphelinat auquel il avait consacré jusque-là toutes ses forces. La maladie a creusé son visage, il est paralysé, au bout du rouleau, mais il attend la mort avec sérénité. Le petit Sylvio reverra le ciel, bientôt. Pauvre Don Gnocchi qui croyait s'être battu contre les derniers moulins à vent !

Le voilà qui écoute, la rage au cœur, le sermon du directeur de l'hôpital. Un mandarin irréductible (et Dieu pardonne à Don Gnocchi), plus stupide qu'un mulet qui ne veut pas avancer. « Il faut comprendre... le Parlement n'a pas voté la loi, il faut du temps pour réfléchir à une loi, et le conseil de l'Ordre se doit de respecter les lois... Aucun chirurgien n'a le droit de pratiquer une telle opération sans tomber sous le coup de la loi... La loi prévoit jusqu'à sept ans d'emprisonnement et la suspension du droit de pratiquer...

La direction de l'hôpital est désolée, aucun des chirurgiens ne prendra cette responsabilité. C'est la loi, Don Gnocchi ! La loi ! Patience, elle sera votée un jour, cette loi ! Patience ! »

Loi... Patience... A quoi riment ces deux mots pour un homme qui va mourir demain peut-être. Et la belle stupidité des hommes si leur fameuse loi passe dans un an ou six mois. Il sera trop tard ! Don Gnocchi sera mort, et qui pensera au petit Sylvio ? Qui lui donnera ses yeux ? Personne.

Don Gnocchi sait bien qu'une loi ne suffit pas. Il sait bien que sans lui le petit Sylvio retombera dans l'anonymat des deux mille petits infirmes de l'institution. Don Gnocchi rassemble ses dernières forces, car il faut frapper un grand coup, alerter l'opinion publique, c'est sa dernière chance, et tant pis pour l'Evangile.

Don Gnocchi va devenir celui par qui le scandale arrive.

24 novembre 1952 : la presse publie le scandale : « Un prêtre déclare : *Je veux que mes yeux qui ont vu tant de guerres, tant d'horreurs et de souffrances puissent voir la paix entre les hommes. Dès que j'aurai rendu grâce à Dieu, mes yeux seront donnés à un aveugle. Pour cela, j'attends l'aide d'un médecin de bonne volonté.* »

Don Gnocchi est mourant, mais mourant il a encore la force de recevoir la visite du plus célèbre chirurgien d'Italie, Mario Celloti, l'homme de bonne volonté! Mario Celloti examine Don Gnocchi. Entre eux, pas de mensonge.

« Combien de temps encore? demande le petit curé.

— Deux ou trois jours, répond le grand chirurgien, peut-être moins.

— Que peut-on faire? demande le petit curé.

— Faites-moi confiance », répond le grand chirurgien.

Ils sont seuls tous les deux dans la chambre blanche, le médecin et le mourant, et les voilà qui conspirent avec une joie de collégiens, avec une espérance folle. Les voilà qui s'apprêtent à jouer au gendarme et aux voleurs. Car on en est là! La police surveille l'hôpital. L'armée du pouvoir législatif assiège Don Gnocchi. L'ordre est d'empêcher l'opération ! Le petit curé n'a qu'un seul avantage. Celui d'être aux portes de la mort, et on n'arrête pas un mourant, on ne peut que le surveiller. Enfin, on n'arrête pas un petit garçon aveugle qui attend dans un autre hôpital.

Don Gnocchi et Mario Celloti sont en quelque sorte des prisonniers en liberté surveillée, et il est évident que l'opération ne pourra pas être tentée à l'intérieur de l'hôpital, dont la direction fait partie des opposants.

Les deux assiégés mettent alors au point un plan d'évasion hors du commun.

Don Gnocchi ne peut pas quitter son hôpital, et le petit Sylvio ne peut pas quitter le sien, puisque la police guette. Alors, dit le chirurgien, nous ferons évader vos yeux, et ce sont eux qui rejoindront l'enfant, au nez et à la barbe de la maréchaussée.

Mario Celloti reste donc au chevet de Don Gnocchi, et tous deux attendent la mort. A l'autre bout de la ville, le petit Sylvio attend la lumière. 26 novembre 1952 : le crépuscule est sur Milan, il est 19 heures, Don Gnocchi meurt en silence, et le chirurgien fait son travail, rapidement, efficacement ! Deux de ses élèves sont venus l'assister. Ils sont en costume de ville. Le scalpel découpe deux petits carrés de cornée, que les assistants déposent dans une éprouvette de pénicilline. Mario Celloti referme doucement les paupières de Don Gnocchi, fait un signe à un de ses assistants, et les voilà tous les trois qui courent dans les couloirs de l'hôpital, franchissant la porte en trombe, galopant jusqu'à une petite rue déserte où les attend une voiture noire, moteur en marche. Les policiers, les prenant pour des journalistes, foncent vers la chambre de Don Gnocchi, persuadés que le chirurgien y est encore et qu'il va demander l'accès à la salle d'opération. Mais, dans la chambre, Don Gnocchi est seul, mains jointes, paupières fermées, et pas un policier n'osera vérifier.

Les yeux de Don Gnocchi se sont évadés, la voiture fonce, le petit Sylvio est déjà endormi dans un hôpital où personne ne connaît le but de l'opération que doit entreprendre Mario Celloti, qui a donné des ordres mystérieux par téléphone.

Elle a duré trois heures et demie, cette opération! Le 4 décembre 1952, une dizaine de ministres et trois parlementaires suivaient l'enterrement de Don Gnocchi, noyés dans une foule de centaines d'enfants infirmes. Et, le 20 décembre 1952, le grand chirurgien ôtait le dernier pansement, la dernière barrière entre les yeux du petit Sylvio et la lumière.

« Dis-moi combien j'ai de doigts? a demandé le chirurgien.

— Deux, monsieur! »

Mario Celloti, en effet, ne montrait que deux doigts, car c'est ainsi que l'on fait le « V » de la victoire!

24

JOHN LA FLIBUSTE

Le *Girl Jean* est le plus beau chalutier du port d'Arbroat. Il a des voiles rouges et un moteur, mais rien n'est plus beau que ses voiles rouges disparaissant dans la brume matinale.

Arbroat est un port écossais qui vit essentiellement de la pêche. En mai 1954, brutalement, par un matin gris, sur le quai, l'affolement est à son comble. Le port n'est pas si grand, et tout le monde s'est aperçu immédiatement de l'absence du *Girl Jean*. Cela fait un trou immense, de 60 mètres de long exactement, sur le môle.

Or l'équipage n'est pas parti en même temps que le bateau. L'équipage est là, capitaine compris, et bras ballants sur le quai. Le *Girl Jean* a disparu tout seul. Ses amarres pendent lamentablement dans l'eau sombre, personne ne s'est aperçu de son départ qui a dû s'effectuer à l'aube. C'est la consternation totale. Car on ne vole pas aussi facilement un bateau de pêche qu'une bicyclette.

En l'espace de quelques heures, tous les chalutiers partent à la recherche du *Girl Jean*. Le port est déserté, et les messages radio se multiplient et s'entrecroisent. Les équipes de recherches ont d'abord pensé que le chalutier dérivait tout seul, libéré de ses amarres par un geste criminel. Mais tous les endroits d'échouage possibles, en fonction des courants, ont été visités. Rien. Comme la mer du Nord est calme et que la plus petite ombre de tempête ne se lève pas à l'horizon, l'idée que le chalutier a été volé par un équipage pirate se répand dans la ville. Mais les marins ricanent. Un équipage de pirates, on n'a jamais vu cela. Et, si un équipage de pirates existait, il aurait volé un bateau plus moderne et plus rapide que le *Girl Jean*.

Quoi qu'il en soit, pas de nouvelles, pas de piste, rien sur le désert tranquille de la mer du Nord.

La journée s'avance, et les armateurs s'énervent. S'agirait-il d'un sabotage? Les pêcheurs norvégiens seraient-ils capables de braver les règles de la guerre froide? Aurait-on volé le *Girl Jean* pour des raisons bassement matérielles, pour ruiner la campagne de pêche d'Arbroat? Car chaque jour qui passe sans le *Girl Jean* en mer représente un manque à gagner important. Et, dans la guérilla qui oppose les pêcheurs des deux pays, tous les coups sont permis. Sauf le kidnapping d'un bateau, action qui représenterait une première du genre. Quatre avions de la R.A.F. pren-

194

nent l'air en début d'après-midi pour survoler les côtes, car la police maritime estime que, si le bateau a été volé, il se trouve caché quelque part, dans une crique et non en pleine mer, à la vue du moindre cargo de passage. Cinq heures de vol pour les quatre avions, dans quatre secteurs différents, ne donnent toujours rien. Toute la côte du nord de l'Ecosse au sud de l'Angleterre a été survolée. Si le *Girl Jean* est en mer, les chercheurs ne peuvent plus compter que sur le signalement des autres bateaux, car il est impossible de distinguer en vol un chalutier d'un autre...

D'autre part, si le bâtiment dérive seul, chose toujours possible, il représente un danger certain pour la navigation. Sans feux de position, la nuit en mer du Nord, ça ne pardonne pas. Tous les capitaines de tous les navires sont aux aguets. Et la valse des messages radio continue. Chaque bateau s'identifiant et demandant aux autres sur sa route de le faire. Mais pas de *Girl Jean.* Ni le lendemain, ni le surlendemain. Le *Girl Jean* est devenu un vaisseau fantôme depuis deux jours déjà.

C'est alors que quelqu'un frappe à la porte de la capitainerie du port. Un tout petit quelqu'un. Un quelqu'un de douze ans et 1,45 mètre, suivi de deux autres quelqu'un du même âge et du même acabit : sexe masculin. Genre gamins effrontés, mais pour l'heure pas rassurés du tout. Et ce qu'ils apprennent au capitaine du port lui ferait dresser les cheveux sur la tête s'il lui en restait, car il y a de quoi.

Les trois gamins ici présents, Fred, Mick et

Andrew, font partie d'une organisation secrète dénommée « le serpent rouge ».

Ils ne revendiquent aucun attentat, ce n'est pas encore la mode. Ils n'ont pris personne en otage, ce n'est toujours pas la mode, mais d'une certaine manière on peut qualifier « le serpent rouge » de mouvement révolutionnaire anarchiste.

En effet, les buts de l'organisation sont mal définis, mais les principes d'action sont très simples. Il s'agit d'accomplir avant tout de grandes choses.

Or, qu'est-ce qu'une grande chose ? Tout dépend évidemment du point de vue où l'on se place pour l'estimer.

Pour les membres du « serpent rouge », une grande chose, jusqu'à présent, c'était par exemple pénétrer dans la boutique du boulanger, par effraction si nécessaire, voler tous les cakes fabriqués pour le dimanche, en manger quelques-uns et revendre les autres à la ville voisine.

C'était une grande chose ! Et l'organisation du « serpent rouge » en a réalisé quelques-unes. Les plus brillantes ont été exécutées par le chef, John, quatorze ans. John, dit John la Flibuste.

A quatorze ans, John a déjà écopé de trois condamnations qui l'ont expédié en maisons de rééducation, lesquelles maisons n'ont rien rééduqué du tout apparemment. Rien, car il y a quelques jours, à la réunion des membres du « serpent rouge » (ils sont quatre), John a exposé son nouveau projet aux membres de l'organisation.

C'était un grand coup, disait-il : « Je serai capitaine et vous serez mon équipage. Nous allons sortir le *Girl Jean* du port et filer vers la Norvège. Qui embarque ? » Personne n'avait voulu voler le chalutier *Girl Jean*. C'était autre chose que de dérober un cake à la barbe du boulanger. Comment le faire appareiller ? Comment le guider dans le port ? Comment trouver sa route ? Un bateau de pêche, c'est une affaire d'homme. Non, l'équipage s'est récusé. Ils avaient tous quelque chose à faire. Quelque chose d'autre, n'importe quoi, rentrer chez eux, par exemple, et être bien sages... Cela leur semblait tout à coup très important. Ils sont rentrés, et ils n'ont rien dit à personne pendant deux jours. D'une part, ils n'osaient pas y croire. John était fils de docker et petit-fils de docker, bien sûr, mais de là à gouverner un chalutier en mer du Nord, et tout seul ! Ensuite ils avaient peur. Seulement deux jours ont passé et maintenant ils y croient, car le bateau n'a pas été retrouvé.

Ainsi, John la Flibuste aurait mis le cap sur la Norvège ? Mais pourquoi la Norvège ?

La bande du « serpent rouge » a sa petite idée à ce sujet, qu'elle veut bien confier en secret au capitaine du port : le chef est tombé amoureux d'une Norvégienne, une gamine blonde comme du lin, venue passer quelques jours de vacances en Ecosse l'été dernier, et il a décidé de la rejoindre et de l'enlever. Le capitaine du port veut bien admettre l'explication, mais pourquoi voler le *Girl Jean* ? Il aurait pu se faufiler sur un autre bateau, en passager clandestin, et ne pas risquer sa vie tout seul. Là-dessus aussi la bande du « serpent rouge » a sa petite idée. Si John a choisi le *Girl Jean*, c'est qu'il le connaît bien. Il est monté tant de fois à bord pour supplier le capitaine de l'emmener en mer. Et tant de fois il s'est retrouvé sur le quai à coups de botte dans le postérieur, la rage au cœur. Car le capitaine du *Girl Jean* n'est pas un tendre.

Au domicile de John la Flibuste, personne ne s'est aperçu de son absence. Il avait tout bonnement déclaré qu'il allait voir l'un de ses frères à Dundee, non loin de là. Il n'y est pas, bien entendu, mais la famille n'avait aucune raison de croire le contraire.

Il faudrait donc admettre que John a réussi, à quatorze ans, à s'emparer tout seul d'un chalutier de 60 mètres. Qu'il a réussi à appareiller tout seul dans le port encombré d'Arbroat et réussi à naviguer tout seul en mer du Nord... C'est un exploit impossible à croire. Si impossible, tellement invraisemblable que, tandis que l'on envoie des messages à tous les navires se trouvant au large des côtes norvégiennes, le capitaine du *Girl Jean* déclare : « Mon bateau ne peut pas être mené par un gamin. Je navigue depuis vingt ans, et je m'y connais. Le gosse ne peut pas être tout seul. C'est le coup d'un gang organisé. »

Et pourtant... le troisième jour de la disparition du *Girl Jean*, un chalutier aperçoit un bateau dérivant à 100 milles des côtes de Norvège. Le pont est désert, la radio muette. Et il faut envoyer une chaloupe pour monter à bord, inspecter ce vaisseau fantôme.

C'est le *Girl Jean*. Les cordages claquent doucement au vent. Personne dans la cabine, personne dans la cale. Personne dans les couchettes. Mais quelqu'un dans un rouleau de cordage, sur le pont avant. Un tout petit quelqu'un roulé en boule. Comme un chat, les deux bras sur la tête, et dormant du sommeil du juste.

John la Flibuste, épuisé par trois jours et deux nuits de navigation solitaire, dormait en effet. Mais il avait pratiquement réussi sa folle entreprise. Il était arrivé à 100 milles des côtes de Norvège, et dans la bonne direction du port où il souhaitait se rendre, pour y rejoindre sa dulcinée. Dans sa poche, pliée en quatre, on a trouvé une carte des côtes de Norvège décalquée sur un atlas avec un gros point rouge à l'endroit où John voulait s'amarrer pour enlever sa belle et repartir ensuite vers l'aventure. Ramené au bercail, John la Flibuste a fait rêver des milliers d'Anglais. L'un d'eux, fort riche, a même voulu lui offrir une croisière sur son yacht.

Mais John, ramené par la peau du cou chez ses parents écossais, s'est retrouvé devant le juge des enfants qui le voyait pour la quatrième fois et a fait soigneusement le compte de l'escapade : quatre avions de la R.A.F. à cinq heures de vol chacun au prix du carburant... plus trois jours de pêche perdus pour le *Girl Jean*, et les chalutiers du port, au prix de la concurrence... plus trois jours de commerce perdus pour les mareyeurs font que le juge en passe et des plus chers. Cette fois, John la Flibuste a été enfermé entre les hauts murs d'une prison d'où l'on ne voit même pas la mer, car

Il y a un âge pour être amoureux,
Un âge pour être un héros,
Un âge en somme pour être fou
Et pas d'âge pour le payer.

25

LES PIEDS DE GLACE

Nous devons cette histoire étonnante à un téléspectateur de Rouen, M. Hubert Crha; elle a pour cadre la toute neuve Tchécoslovaquie, née de la guerre de 14-18.

Ce soir-là, Joseph Pospichal, un Valaque d'origine montagnarde, fait halte dans une auberge, en pleine campagne. Il se rend à la foire pour vendre un bœuf, et à cette époque la seule façon de transporter les bestiaux est de les accompagner à pied.

Il va mettre son bœuf dans la grange, lui donne à manger et pénètre dans l'auberge, toute bruyante des discussions animées des voyageurs. C'est à peine le seuil de l'hiver, mais le gel a déjà fait son apparition.

Tandis que le voyageur se réchauffe doucement, verre en main, devant un grand feu de cheminée, la porte s'ouvre pour laisser pénétrer un groupe de Slovaques, reconnaissables à leur accent.

Comme les nouveaux arrivants prennent un peu trop leur temps pour entrer, Joseph fait

chorus avec tous les autres pour protester :
« La porte!... »

Un peu agacé par cette interpellation, pourtant bien méritée, l'un des Slovaques prend Pospichal à témoin de la dureté des temps, « un froid pareil n'est pas normal en cette saison », et comme ses compagnons semblent suspendus à ses lèvres, pour preuve de ce qu'il avance, il ôte sa chaussure, défait les bandes de toile qui lui tiennent lieu de chaussettes et pose son pied sur la table, devant Joseph.

Le fumet délicat qui s'en dégage chatouille désagréablement le nez du paysan, et la grimace qu'il fait provoque l'hilarité de tous :

« J'ai le gros orteil gelé, tu ne peux pas me souffler dessus, pour le réchauffer? »

Et de rire de plus belle. L'homme est un colosse et Joseph, qui devine la provocation, a l'idée un instant de renverser son vin bouillant sur le pied du Slovaque. Puis il estime que ce serait gâcher de la bonne marchandise pour pas grand-chose. Aussi se contente-t-il d'exprimer sa surprise devant un tel frileux, qui possède un tel tas de graisse.

L'autre réplique qu'il vaut mieux, d'un temps pareil, être un tas de graisse qu'un sac d'os. Joseph rétorque alors que les os d'un Valaque valent toute la graisse des Slovaques du monde et qu'il est prêt à parier qu'il passera la nuit dehors sans avoir les pieds gelés. Hilarité générale. Le fermier tient le pari. On s'esclaffe, on tape dans les mains, et quand l'aubergiste demande la raison de ce tohu-bohu, quelqu'un lui répond :

« C'est Joseph Pospichal qui vient de parier une génisse contre son bœuf qu'il passerait la nuit dehors, les pieds dans la glace. »

Avec un sérieux imperturbable, Joseph demande tout d'abord à voir l'enjeu du pari. Une délégation se rend donc à l'étable où Ogarec, le Slovaque, désigne une jeune vache, destinée à un brillant avenir. A ses côtés, le bœuf vieillissant du Valaque fait piètre figure. Mais Ogarec est si sûr de gagner son pari que cela n'a que peu d'importance. D'ailleurs, dans l'auberge, tous ceux qui connaissent Joseph Pospichal sont unanimes et ils l'estiment complètement fou. Nul n'est besoin d'être sorcier pour deviner qu'au cours de la nuit prochaine le thermomètre descendra à moins cinq, moins six, et qu'il est humainement impossible de résister à un tel froid, sans risque de se geler les pieds.

Comment cet homme, qui, dans le pays, a la réputation d'être sensé, peut-il se laisser aller à de telles extravagances ?

Le retour des parieurs ravive encore la stupeur des témoins. Non seulement Joseph va passer la nuit à la belle étoile, mais, de plus, il aura les pieds dans l'eau. Le petit groupe a été repérer l'endroit exact où il désire se poster, juste en bordure de la mare aux canards. De la folie pure, car la mare va geler dans la nuit, c'est inévitable. Le patron de l'auberge tente bien de placer un mot, mais la détermination de Joseph est telle qu'il y renonce aussitôt. La ténacité et l'entêtement des paysans valaques sont bien connus de tous. Leur courage lors de la dernière guerre leur a valu l'estime de l'ensemble des combattants.

Joseph Pospichal se fait servir une omelette substantielle, boit trois verres de vin et un café arrosé. Il s'assure de la présence de son tabac dans sa poche, de sa pipe et de son briquet. Il prend sa canne, sa houppelande et sa toque de fourrure, et annonce :

« Eh bien, allons-y! »

Dans un silence impressionnant, Pospichal sort de l'auberge, accompagné d'Ogarec soudain grave, lui aussi.

« Et si ce diable de têtu réussissait? »

Sa génisse tricolore serait perdue!

Le froid sec et vif qui lui pique le nez, aussitôt qu'il est sorti, le ramène à plus d'optimisme. Cet imbécile de Valaque s'est laissé aller à son tempérament hâbleur. Sa sotte prétention l'a précipité dans une situation dont il ne peut pas sortir vainqueur. Dans une heure, deux tout au plus, il viendra tambouriner à la porte de l'auberge, transi de froid, les pieds transformés en glaçons.

C'est d'un œil redevenu serein qu'Ogarec observe Pospichal pénétrer dans la mare. La fine pellicule de glace cède sous son poids et l'eau noire, mêlée de boue, lui monte bientôt au-dessus des chevilles.

Arrivé à quelques mètres du bord, immergé jusqu'à mi-mollet, Joseph Pospichal s'arrête et tourne vers le petit groupe un visage parfaitement calme.

« Ça te convient, comme emplacement? »

Le ton de la voix est si clair et si arrogant, que les Slovaques échangent un regard inquiet. N'y aurait-il pas de la magie là-dessous ? Ogarec, l'œil foncé, se penche et plonge la main dans la mare pour en éprouver la température. Et Dieu qu'elle est froide !

« N'oublie pas, espèce de Valaque, que tu dois rester là où tu es, jusqu'à demain matin 7 heures ! »

En guise de réponse, Joseph Pospichal sort sa pipe et entreprend de la bourrer consciencieusement.

« Bonne nuit, messieurs ! » dit-il avec assurance.

Le groupe rentre à l'auberge se réchauffer, Ogarec regarde sa montre, il est dix heures passées.

Jusqu'à minuit, toutes les demi-heures, sous prétexte de lui porter du café bouillant, le Slovaque, jouant les bons bougres, va s'assurer que Pospichal est toujours dans la mare. A l'aide d'une longue planche il lui passe le café.

« Ça va ?

— Très bien, et ta vache ? »

A minuit, Ogarec annonce qu'il va se coucher. De toute façon, cela ne sert plus à rien de surveiller quoi que ce soit, le Valaque ne peut plus partir sans une aide extérieure, il a les pieds dans la glace.

Et la nuit la plus longue commence pour Joseph Pospichal. Dressé comme un épouvantail au milieu du miroir de glace, l'homme ne veut pas penser au froid qui lui mord le visage et transforme son nez en pelote à épingles. Pour ne pas se laisser aller au découragement, qui, au fil du froid, s'insinue en lui, il se raconte sa vie. Son enfance à la ferme, son adolescence de commis chez les paysans des montagnes. Et puis, son service militaire, et la guerre qui éclate. Ses premières armes et le jour où cet obus l'expédie à l'hôpital pour de longs mois, faisant de lui un homme plus tout à fait comme les autres. Puis la convalescence, ce lent retour à la vie normale. La patience, la volonté, la ténacité, l'orgueil de ce sang valaque qui coule dans ses veines, le même qui fait qu'en ce moment même, il préfère mourir de froid plutôt que de renoncer à la vache de ce gros porc de Slovaque...

Et le retour à la ferme de ses parents. Son frère qui le revoit pour la première fois depuis quatre ans et qui, en guise de bienvenue, lui demande un coup de main pour rentrer une charretée de foin !

Et sa mère qui sanglote en silence contre sa poitrine, sa mère qui ne sait que murmurer comme une litanie :

« Joseph, mon fils ! mon petit ! »

Ah ! cette première journée de retour ! Les voisins qui arrivent, le veau gras que l'on tue, le festin du soir, avec les rires, les chants, les danses, et puis, tard dans la nuit, lorsque tout le monde est parti, sa mère qui s'approche de lui avec la grande cuvette de faïence bleue. Le moment qu'il redoute le plus depuis trois ans est arrivé. La tradition veut que, pour honorer un hôte, la maîtresse de maison lui lave les pieds au moment d'aller se coucher. L'eau chaude qui fume dans la bassine, le gros morceau de savon, l'œil bleu de sa mère qui le sollicite à genoux devant lui :

« Allons, mon fils, déchausse-toi ! »

Alors le sanglot, refoulé depuis trois ans, remonte sans qu'il lui soit possible de le contenir davantage. Lentement, il soulève les jambes de son pantalon et révèle le secret qu'il n'a jamais confié à personne de sa famille. Il a perdu ses deux jambes à la guerre. Certes le chirurgien qui l'a amputé a très bien fait les choses. Il a laissé intactes les deux articulations des genoux, avec juste ce qu'il faut du tibia et du péroné pour adapter deux prothèses articulées qui lui donnent cette démarche saccadée, mais quasi normale, pour ceux qui ne savent pas. Or, sa mère mise à part, personne ne sait.

Ou plutôt, personne ne savait, car au petit jour, lorsque l'aubergiste, estimant que le pari est largement gagné, vient le délivrer de sa gangue de glace à coups de hache, et le transporte devant le feu... tout le monde découvre la vérité. Ogarec tente bien de protester :

« Si j'avais su que tu avais des jambes de bois ! »

Mais personne ne fait chorus avec lui, et dans la matinée, Joseph Pospichal quitte l'auberge de son pas saccadé avec son bœuf et sa vache tricolore. Il ne la vendra jamais à la boucherie. Après avoir passé une bonne vie de vache à la ferme, et donné bon nombre de veaux et de litres de lait, elle mourra de sa belle mort un beau matin. Tout le village se souviendra de Joseph, l'homme qui passa une nuit dans la glace pour prouver à un gros Slovaque, qu'à défaut de pieds, un Valaque n'avait pas froid aux yeux !

26

UNE GRANDE PETITE ANNONCE

MINNIE porte le nom d'une petite souris. Minnie a d'ailleurs l'air d'une souris. Une souris qui travaillerait sans relâche à construire Dieu sait quoi. De 10 heures du soir à 6 heures du matin, Minnie balaie, lave, brosse, rince au 40e étage d'un grand building de New York — 56e Rue Est. De 10 heures du matin à 5 heures du soir, Minnie balaie, lave, brosse, rince les boîtes de nuit de la 42e Rue. De la crasse et de la poussière des autres, Minnie fait son labeur. Elle transforme les serpillières en dollars, et les balais-brosses en économies. Carte d'identité du syndicat des femmes de ménage de la ville de New York : Minnie Rolls, race blanche, âge 58 ans, demeurant à Brooklyn.

Ce qui n'est pas écrit sur la carte d'identité ne regarde que Minnie. A dix-huit ans, elle a fait une mauvaise rencontre sous un pont de Brooklyn. Et de cette mauvaise rencontre est né un fils. Minnie l'a appelé Till, en souvenir d'un grand-père autrichien. Et elle s'est mise à faire des ménages;

58 ans moins 18, il y a donc 40 ans que Minnie récure. A force d'être à genoux, elle a usé ses genoux. A force de gratter, elle a usé ses ongles. D'abord pour élever son fils, ensuite pour l'empêcher de faire lui aussi de mauvaises rencontres.

Elle n'y a pas réussi, Till est en prison. Minnie sait qu'il n'a pas tué, qu'il n'a pas volé. Minnie sait que la seule mauvaise rencontre qu'il a faite était celle d'un policier qui l'a pris pour un autre. On a voulu le prendre pour un autre. Mais Minnie est seule à le savoir, et à le croire, surtout.

Ce jour-là, en décembre 1932, Till a dit à sa mère :

« M'man, il faut me croire, je rentrais le charbon. Je n'étais nulle part ailleurs qu'à la maison. Je ne connais pas le magasin dont il parle, ni l'homme qui est mort. »

Minnie l'a cru. Et Minnie s'est remise à gratter et à brosser de plus belle, car Till laissait une jeune femme et un bébé. Et puis la rage s'est emparée d'elle, avec une idée fixe. Faire sortir son fils de prison, retrouver le coupable. Pour cela, il lui fallait des dollars, de plus en plus de dollars. Pas question de dormir plus de trois heures par nuit. Pas question de faire deux repas par jour. Chaque semaine, Minnie se rend donc à la banque et dépose au guichet les neuf dixièmes de sa paye. L'employé regarde cette petite vieille, usée prématurément, compter de ses doigts rongés les billets et les pièces. C'est la femme de ménage la plus riche de New York, dit-il en plaisantant. Mais Minnie n'est pas riche. Elle n'est riche que d'espoir. Il lui fallait 5000 dollars au moins pour mettre son idée à exécution. Till est en prison depuis 1932, condamné à vie. Douze ans ont passé. Minnie a réuni les 5000 dollars. Elle s'arrête de travailler.

« Je prends des vacances », dit-elle à ses nombreux employeurs. Et elle disparaît. Elle s'enferme chez elle, dans son taudis de Brooklyn, seule. Seule, car depuis longtemps sa belle-fille a abandonné la lutte, elle était trop jeune, trop jolie pour rendre visite à un condamné à perpétuité en guise de mari.

A l'autre bout de New York, dans le bureau crasseux d'un journal ambitieux et à l'affût de sensationnel, une jeune journaliste ronge son frein. Etre femme et journaliste dans les années 40 demande du brio, du culot et du talent plus qu'à n'importe qui.

Dieu sait ce qu'est devenue Elisabeth Falsh à présent. Mais si elle vit encore, elle doit faire partie du Gotha de la presse américaine. En 1944, elle n'a que vingt-deux ans. Ses collègues masculins trustent les complots politiques, naviguent dans les histoires de gangsters et de syndicats avec aisance, et bien entendu s'arrogent le droit de parler des guerres. Elisabeth Falsh ne se sent absolument pas l'envie de chroniquer sur la mode et les recettes — cuisine, beauté. Son idée est que le lecteur d'un journal devrait pouvoir lire la vie des autres lecteurs comme lui. Assez de divorces d'exception, de piscines hollywoodiennes, de dépressions de milliardaires, de mariages de filles du pétrole. La vie des gens est tout aussi extraordinaire. Seulement eux ne la voient pas. Il faut la leur montrer.

Elisabeth lit les faits divers de tous les journaux, tous les matins, et le 20 octobre, elle lit ceci dans le *Time* de Chicago :

« 5 000 dollars de récompense à qui fera découvrir l'assassin du policier tué le 6 décembre 1932. Téléphone 522-44-16, toute la journée. » Elisabeth décroche son téléphone, s'attendant à tomber sur un homme. C'est une petite voix tremblante qui répond :

« C'est Minnie Rolls qui parle, qu'est-ce que vous voulez ? »

Pauvre Minnie. Depuis qu'elle a passé son annonce, elle a reçu tous les appels possibles, escrocs, fureteurs, détectives et faux témoins. Comment s'en sortir ? Minnie n'est armée que de son instinct et du fait qu'elle a laissé les 5 000 dollars en sécurité à la banque.

« Je ne veux pas perdre mon temps, dit Minnie au téléphone à chaque correspondant. Si vous avez un témoignage, écrivez-le, et envoyez-le au procureur. Le meilleur aura la récompense. »

Voilà comment Minnie voit les choses. Elle ne dispose que d'une semaine d'annonces quotidiennes. Et comme elle ne veut pas entamer les 5 000 dollars de la récompense, si ça ne marche pas, elle se remettra à travailler, et recommencera une autre semaine. Qu'Elisabeth soit journaliste ne l'intéresse guère. Elle n'a pas de temps à perdre avec la curiosité des autres. Mais Elisabeth insiste :

212

« Je voudrais vous voir. Qu'est-ce que vous espérez avec un système comme celui-là? Vous cherchez un assassin par petites annonces, comme pour une offre d'emploi? »

Minnie répond que les hommes sont honnêtes si on leur en donne l'occasion et les dollars. C'est sur la cupidité des témoins qu'elle compte, bien sûr, et non sur le remords de l'assassin.

Elisabeth insiste pour la rencontrer, mais Minnie refuse avec un argument de poids.

« Quand on a condamné mon fils, les journaux n'ont rien dit. Tout le monde se taisait. Un policier avait été tué et le premier imbécile venu devait payer ça. Allez donc voir la police, elle vous racontera tout ça bien mieux que moi. Moi, j'ai autre chose à faire, je dois rester là et répondre au téléphone. Chaque heure qui passe sans travail me coûte un demi-dollar. J'ai mis douze ans à en gagner 5000, faites le compte! »

Et Minnie raccroche, et Elisabeth saute sur l'enquête comme si sa vie en dépendait. Son directeur lui demande pourquoi elle est si sûre que la « vieille folle » a raison :

« Parce qu'elle en est sûre elle-même », répond Elisabeth...

Le dossier de Till Rolls raconte une bien vilaine histoire.

6 décembre 1932 : un policier entre dans un drugstore pour boire une bière, deux hommes attaquent la caisse, ils tuent le policier qui voulait intervenir et disparaissent. La gérante reconnaî-

tra Till comme l'un d'eux. Elle seule le reconnaî-
tra.

Till prétend qu'il rentrait son charbon ce
jour-là, à cette heure-là, et que sa femme allait
accoucher à l'hôpital. L'hiver serait rude avec un
bébé tout neuf. Le soir, un homme a frappé à sa
porte, il le connaissait vaguement de vue.

« On me poursuit, a-t-il dit, cachez-moi, je vous
en supplie. »

Till a raconté ensuite à la police qui sillonnait
le quartier que l'homme s'était caché dans la cave
un moment, et puis s'en était allé sans rien dire.
Il l'avait raconté d'abord aux voisins, à sa mère, à
sa femme. Mais les policiers ont dit : c'était votre
complice. Et la gérante du drugstore a dit : « C'est
lui ! » Voilà tout, c'est tout, et rien n'y a fait. Le
juge qui instruisit l'affaire, seul persuadé d'une
erreur judiciaire, était mort avant d'avoir réussi à
faire réviser le procès. Les avocats coûtaient cher.
Et chacun sait qu'un homme qui a tué un policier
est une mauvaise cause. Till n'échappa à la mort
que par l'insuffisance des témoignages : la
gérante ne pouvait pas affirmer que c'était lui qui
avait tiré.

Pendant des mois, Elisabeth et son journal
s'acharnent à recueillir de nouveau les témoignages et à retrouver les membres du jury. Et Minnie, n'ayant rien obtenu, retourne à ses balais et
recommence :

« 5000 dollars de récompense à qui fera découvrir l'assassin du policier tué le 6 décembre 1932,
téléphone 522-44-16, toute la journée. »

Elisabeth retrouve les voisins. Tous ont dit :

« Il a déchargé son charbon tout l'après-midi. Le lendemain il a dit qu'un homme était venu se cacher chez lui et en était parti. »

Elisabeth a retrouvé la gérante du drugstore... elle a fini par dire :

« Les policiers m'ont conseillé de le reconnaître, il lui ressemblait, il était juste un peu plus petit... mais je ne vois pas très clair... »

Le 16 septembre 1945, la commission des grâces a renvoyé Till Rolls dans ses foyers. Enquête, contre-enquête, remue-ménage dans la presse avaient fait de lui le condamné le plus célèbre de l'année. Il a retrouvé le taudis de Brooklyn avec une pension de l'administration pour emprisonnement injustifié. Il n'avait plus ni femme, ni enfant, ni maison, ni métier. On ne lui avait appris qu'à attendre.

A la sortie du tribunal, Minnie, sa mère, en larmes, tenait un paquet sous le bras. Elle est allée voir Elisabeth Falsh et lui a tendu le paquet.

« Voilà vos 5 000 dollars, petite, vous les avez gagnés ! »

Et il a fallu se battre pour que Minnie les garde, ses quinze heures de travail pendant douze ans.

« 65 600 heures à récurer pour laver son fils de tout soupçon », a titré le journal... qui aimait quand même le sensationnel et les à-peu-près.

27

LE PETIT CAPORAL

En 1917, au plus fort des mutineries, entre mai et juillet, il y eut 277 condamnations par les tribunaux militaires. Sur ces 277 condamnés, 250 furent graciés, et 27 exécutés.

L'une de ces condamnations s'abattit un jour sur un petit caporal.

En 1917, quelque part en France, un régiment d'infanterie, ou plutôt ce qu'il en reste, s'écroule dans la forêt. Il s'écroule d'épuisement, de froid, de faim, de saleté et de désespoir.

Pour la énième fois, sous les ordres d'un officier acharné, ils viennent de reprendre un petit bout de colline aux Allemands. Le même petit bout de colline depuis des semaines. La même partie de cache-cache mortelle et sans fin. Un jour, le petit bout de colline est allemand et se hérisse de mitrailleuses. Le lendemain, il est français et se creuse de nouvelles tombes.

Aujourd'hui, 28 mai 1917, à l'aube, le petit bout de colline est à nouveau français. Cette fois, les hommes ont été plus qu'héroïques, cette fois ils vont pouvoir dormir, manger, boire, se laver, cette fois ils auront enfin droit à cette permission qu'ils attendent depuis un an. Car la relève est là. Un autre régiment est arrivé dans la nuit après deux jours de marche : des hommes neufs.

Affalés contre un arbre, ils sont trois amis : Jean, Louis et Marcel, vingt ans, trente ans et trente-huit ans. Ils ronflent. C'est leur premier réflexe. C'est bon de ronfler. On est vivant quand on ronfle. Jean le petit caporal a vingt ans. Il s'est engagé à dix-sept ans en 1914. Engagé volontaire. Un volontaire qui ne pouvait faire autrement.

Au début de la guerre il a vu son père, sa mère et son frère de douze ans fusillés par les Allemands. Il a vu la maison brûler, la récolte pillée. Et parce qu'il s'était caché, parce qu'il était vivant, qu'il était le seul, et qu'il avait dix-sept ans, Jean avait rejoint le front de la Lorraine.

Mais voilà trois années de guerre déjà, dont la dernière sans repos. 1917 est une année de dégoût, de découragement et de rage impuissante. Jean a faim. Une faim d'ogre qui le réveille. Mais le cantinier désabusé lui sert en guise de repas la litanie qu'il a mise au point pour faire face aux récriminations :

« Un biscuit par tête de pipe, et si t'as perdu ton quart, pas de café... au suivant ! »

Le petit caporal s'énerve, il regarde l'homme bien en face, crache dans l'herbe d'un air menaçant :

« Parle-moi sur un autre ton, feignant, ou je te fourre ta tête dans ton eau sale. »

Puis il retourne auprès de son arbre. Tout sera bientôt fini. La permission tant attendue va leur être annoncée, l'officier l'a promis. L'officier leur a aussi promis qu'ils pourraient se laver. Mais il n'y a pas de citerne, et pas d'eau et pas de savon pour eux. Le ravitaillement n'est pas arrivé. Alors les cinquante hommes, qui, pour la énième fois, ont repris la colline, se serrent les uns aux autres en petits paquets et ils attendent.

On ne voit que leurs yeux. Tout le reste est sale, barbu, couvert de terre, affamé et malheureux.

Mais les yeux sont pleins d'espoir. Les yeux attendent l'annonce du repli. La permission de quitter cet enfer.

Les heures passent. On grogne çà et là. Puis on râle vraiment, et enfin on proteste.

Un petit groupe, avec le caporal en tête, se présente à l'officier commandant le régiment. Il est cinq heures de l'après-midi, et on ne leur a rien dit. Que se passe-t-il ? On entend de nouveau tirer au loin. Pourquoi les laisse-t-on là, le derrière sur l'herbe ? Pourquoi le régiment n'a-t-il pas fait mouvement ? Et eux ? Et leur permission ? L'officier est de mauvaise humeur :

« Pas de permission pour l'instant, j'attends les ordres... »

Si on attend des ordres, c'est qu'il y a de l'espoir. Le petit caporal et ses compagnons regagnent leur tronc d'arbre, une fois de plus.

Six heures du soir : branle-bas de combat, sonnerie, agitation, appel, tout le monde debout. « On » y retourne ! Comment ça, on y retourne ?

Qui, « on » ? Et où ?

Là-bas, sur le petit bout de la colline, car les Allemands l'ont repris !

Un grand murmure s'élève des soldats du 109ᵉ régiment d'infanterie... Nous ? C'est à nous qu'on demande de retourner là-bas ? Mais on en vient, nous ! On en revient, nous !

Pourquoi pas les autres ? La relève ? Elle sert à quoi la relève ? Elle est là pour ça, la relève !

Le petit caporal, suivi de Louis, suivi de Marcel, et tous les trois suivis par des dizaines de regards, avancent vers l'officier : c'est Jean qui parle...

« Mon lieutenant, c'est impossible. On n'en peut plus. C'est à eux d'y aller. Nous, on attendait la perm. On a droit à la perm, quand même ? Depuis le temps qu'on attend ? »

Mais le lieutenant a reçu des ordres. Et les ordres sont de retourner là-bas. Il tapote l'épaule du petit caporal d'un geste conciliant.

« Allons, caporal, du nerf, bon sang. Vous l'aurez, votre perm... une autre fois.

« Rassemblement, rassemblement. »

Les hommes se regardent et le petit caporal regarde l'officier.

« Non ! On n'ira pas... Pas question, envoyez la relève !

— Caporal, c'est moi qui donne les ordres !

— Y'a pas d'ordres ! Vous êtes complètement fou, personne n'a pu donner un ordre pareil... Vous ne voyez pas qu'on est crevés ! Envoyez la relève ! »

L'officier comprend qu'il lui faut donner un minimum d'explications s'il veut éviter un conflit. Trop d'hommes se rebellent en ce moment. On parle de mutineries partout. Alors il dit que la relève ne connaît pas le terrain repris et perdu par le 109e régiment d'infanterie. C'est au 109e d'y retourner, lui seul peut nettoyer rapidement ce bout de colline.

Ben, voyons! Le 109e a perdu plus de trente hommes sur ce petit bout de terrain truffé de mitrailleuses allemandes... Vous pensez s'il le connaît, il suffit de souffler dessus pour le nettoyer!

Le caporal se met au garde-à-vous et répète fermement :

« Non, mon lieutenant, on n'ira pas! On s'en fout complètement, de votre colline! On s'en fout complètement, vous comprenez, on n'ira pas! »

Il est ivre, le petit caporal, ivre de rage, de faim, de fatigue, ivre de désespoir. Il dit et redit non et non!

Et comme l'officier avance vers lui, il le repousse violemment, le jette par terre, devant ses camarades, et un grondement d'approbation accompagne son geste.

Alors l'officier, rouge de colère et d'humiliation, se relève et empoigne le caporal pour le faire avancer de force.

Tout va très vite ensuite. Jean cogne de ses deux poings, se dégage, pointe son fusil en plein sur la poitrine de l'officier. Il faut que les autres se jettent sur lui pour l'empêcher de tirer et le traînent à l'écart. Le petit caporal est devenu fou. Mais c'est fini, la mutinerie n'aura duré que trois pauvres minutes.

L'officier reprend haleine et récupère ses hommes en hurlant des menaces.

« Arrêtez cet homme et ses deux complices ! Aux arrêts, Conseil de guerre ! »

C'est grave, car les officiers ont l'ordre de réprimer sévèrement les mutins. On murmure que les tribunaux militaires sont expéditifs. Le moral de l'armée s'effrite et tout acte de rébellion est immédiatement sanctionné.

Le petit caporal n'y coupera pas. Ses deux camarades non plus, qui l'ont soutenu dans son action. Et pendant que les autres repartent à l'assaut du petit bout de colline qui a besoin de quelques morts de plus, les trois hommes attendent de passer en conseil de guerre. Ils n'attendent pas longtemps. Le 1er juin, après un réquisitoire d'une heure, le Conseil de guerre condamne à mort Jean, caporal mutin, Louis et Marcel, hommes de troupe, ses deux complices.

Le lendemain, la peine de mort est commuée en travaux forcés à perpétuité pour Marcel et Louis. Mais le dossier du petit caporal revient du ministère de la Guerre avec une confirmation de la sentence de mort et une signature célèbre : « Pétain, général en chef. » C'est lui qui a le droit de grâce. Le Président de la République lui a cédé cette responsabilité vu la gravité de la situation dans l'armée.

Lui seul peut accorder ou refuser une grâce, désormais. Et il ne veut pas savoir que le petit caporal est l'un des plus jeunes engagés volontaires de France. Il ne veut pas savoir qu'il a perdu sa famille en 14, qu'il s'est battu comme un homme pendant trois ans, qu'il a vingt ans seulement, et qu'il est devenu fou l'espace d'une minute. Fou,

parce qu'il ne croyait plus aux grands mots style :
« On les aura... », ou « vous entrerez dans les
lignes allemandes comme dans du beurre ».

Fou, parce qu'il y a une limite à la résistance
humaine d'un gamin de vingt ans, qui en a tant vu.

L'exécution est fixée au 6 juin.

Le 5 juin, M. Paul Painlevé, ministre de la
Guerre, est à Compiègne, où s'est réuni un
Conseil secret, présidé par Pétain.

Painlevé s'acharne à obtenir les grâces. C'est
son rôle. Mais il discute vainement avec le général Pétain depuis plus de deux heures, sur deux
dossiers : celui d'un mutin marié et père de deux
enfants, agitateur, et celui du petit caporal. Il
croit au dossier du petit caporal. Il est bon. Pas de
mauvaises notes, engagé à dix-sept ans, trois ans
de guerre, orphelin, auréolé de la tragique histoire
de sa famille... Le garçon a suffisamment payé !

Mais Pétain est intraitable.

Non... il faut un exemple : les mutineries
reprennent de l'ampleur. Ce garçon s'est battu
avec un officier, il a voulu le tuer !

Mais il n'a pas tiré... Il a menacé seulement...
L'épuisement, la déception, la jeunesse... Vingt
ans ! il n'a que vingt ans !

Non !

A une heure du matin, cette nuit, veille de l'exécution, le ministre ne peut pas dormir. Et à deux
heures du matin, il reprend son téléphone et
réveille Pétain, le grand, l'intraitable général en
chef, il le supplie. Il est encore temps : il reste
deux heures.

S'il faut un exemple, l'autre condamné suffit, il a un mauvais dossier, c'est un agitateur reconnu. Pourquoi fusiller deux hommes pour l'exemple ?

Un seul suffit, pas le petit caporal !

Une dernière fois, c'est NON ! Il doit payer, il est seul au monde, personne d'autre n'en subira les conséquences, c'est non !

Si le petit caporal avait encore eu un père, une mère, un frère, peut-être ne serait-il pas mort le 6 juin 1917. Mais les statistiques l'ont prouvé, les mutins célibataires furent moins graciés que les autres...

Il n'avait pas de chance, le petit caporal, les Allemands avaient déjà fusillé sa seule chance.

Et le 6 juin, à l'aube, quelque part en Lorraine, ils étaient douze dans le peloton d'exécution, dents serrés, cœur serré, et le petit caporal est tombé devant eux pour l'exemple.

On se souvient de lui avec précaution dans les études historiques.

Il s'appelait Lefevre, et voici sa dernière lettre, adressée au général en chef Pétain :

« ... je demande pardon de la faute commise, mais en même temps je demande à mes camarades de comprendre le sens de mon sacrifice.

« Je les supplie de ne jamais se laisser entraîner à des actes d'indiscipline.

« Que mon sang versé dans de si effroyables conditions serve à nous unir dans une même volonté de discipline et contribue de cette manière à la victoire de la France. »

Caporal Lefevre, 109e régiment d'infanterie.

28

LE CHATEAU DES NOCES NOIRES

Le 10 avril 1830, Solange de Saint-Pois épouse Pierre de Kermarec, dans un village de Bretagne, et sitôt la cérémonie finie les époux montent dans un cabriolet décoré de fleurs, pour se rendre au château.

Durant le parcours, Solange contemple l'inscription gravée à l'intérieur de son alliance et le bijou lui échappe malencontreusement des mains. On arrête le cheval, on cherche partout, mais l'anneau reste introuvable. Laissant le cocher poursuivre les recherches, Pierre court rejoindre ses invités, traînant Solange en larmes.

Quelques heures plus tard, le cocher arrête les recherches, il n'a pas retrouvé l'alliance. A peine en vue du château, il croise son maître, venu à sa rencontre :

« Tu as vu ma femme ? »

Le cocher n'a vu personne. Et Pierre raconte qu'avant le déjeuner les demoiselles d'honneur ont obligé son épouse à jouer à cache-cache avec elles et que depuis deux heures, malgré les appels et les recherches, Solange reste introuvable.

A ces mots, le vieux serviteur devient pâle, ôte son chapeau et se signe en disant :

« Les Noces Noires, notre Maître... Les Noces Noires !... »

Pierre hausse les épaules.

Une légende dit que quiconque se marie au château de Kermarec voit le malheur s'abattre sur son couple. Pierre, qui n'ignore rien de cette prédiction, a voulu passer outre, et voilà que sa jeune femme disparaît le jour de ses noces.

Toute la nuit, le lendemain et les jours suivants, on sonde les murs, on drague les douves, on fouille la campagne environnante sans succès. La maréchaussée fait une enquête, et il faut bien se rendre à l'évidence; Solange de Kermarec a disparu.

Personne ne la reverra jamais. La famille fait poser une croix au cimetière, et ces dernières noces noires viennent renforcer la légende du château de Kermarec, où l'on ne célébrera plus de mariage.

Un siècle plus tard, en 1930, François Le Gac, instituteur de la région, vient sonner un midi à la grille du château. Il est accompagné d'un petit groupe d'élèves et demande de l'eau potable. Le manoir est habité par un couple de vieux domestiques. Les propriétaires vivent à Paris. Les enfants étanchent leur soif, et comme il est midi bien sonné, l'instituteur demande l'autorisation de déjeuner dans la cour. Permission accordée bien volontiers. Le petit groupe dévore à belles dents, et le vieux serviteur raconte la légende des Noces Noires. Les casse-croûte finis, Le Gac obtient l'autorisation de visiter les lieux.

Sous la conduite du gardien, on s'extasie devant une cheminée de granit, une fenêtre d'angle, un mobilier bigouden, un escalier en spirale... Ravi de trouver un auditoire si passionné, le guide bénévole monte jusqu'au grenier pour faire admirer la charpente du toit, une véritable merveille.

Le vieil homme a-t-il trop présumé de ses forces? Est-ce la chaleur? Soudain le vieux Breton porte la main à son cœur et s'écroule, terrassé par un malaise. Conservant son sang-froid, l'instituteur transporte le gardien près d'un vasistas et l'ouvre pour lui donner de l'air, puis il commande à ses enfants de rester près du malade.

« Qu'il ne bouge pas, surtout. Je descends avertir sa femme, elle a sûrement un médicament pour le cœur. »

Et Le Gac s'élance dans l'escalier de pierre. Il débouche dans une petite pièce, la traverse, ouvre une porte qui donne sur un second escalier... Mais, au fur et à mesure qu'il descend, l'instituteur a l'impression très nette qu'ils ne sont pas passés par là tout à l'heure. Il ne manquerait plus qu'il se perde. Estimant que de toute façon ces marches aboutissent quelque part, il continue de descendre. Le voici en bas de l'escalier. Un couloir sombre. Une porte. Vaguement angoissé et furieux de l'être, Le Gac crie :

« Il y a quelqu'un? »

Sa voix se répercute sous les voûtes de pierre. Il a dû descendre trop bas, il est à présent au sous-sol, c'est évident. L'humidité qui ruisselle sur les murs en est la preuve. Il faut remonter l'escalier. C'est alors que François Le Gac trébuche sur quelque chose qui traîne sur le sol, perd l'équilibre et va s'écrouler contre le mur. A moitié assommé, l'instituteur se relève. Il craque une allumette pour se repérer. Il y a une porte là, mais c'est par l'autre, là-bas, qu'il est arrivé. Le sol est jonché de caisses et de vieilles bouteilles. Levant les pieds avec précaution, l'instituteur se dirige vers la porte, l'ouvre et se trouve face à face à quelques marches qui descendent à pic. Il s'est encore trompé!

A ce moment précis, la vague angoisse ressentie par Le Gac se transforme en vraie peur. Et s'il allait se perdre comme Mlle de Saint-Pois? On a beau être fort et sûr de soi, il suffit parfois d'un rien pour passer de la peur à la panique. En proie à la plus vive émotion, l'instituteur cherche à sortir des lieux le plus rapidement possible. Dans sa hâte il se cogne, tombe encore, se met à crier, et tout à coup, sans savoir exactement ce qui s'est passé, il sent la paroi de pierre contre laquelle il s'appuie basculer, et le voilà précipité dans le vide.

En reprenant conscience, François Le Gac se trouve dans un réduit obscur, éclairé faiblement par la lueur d'un long soupirail horizontal, fermé par des barreaux. Ses yeux s'habituent peu à peu à l'obscurité, et il distingue près de la grille une forme allongée. Inutile de craquer une allumette pour deviner qu'il s'agit du cadavre de Solange de Saint-Pois. On distingue parfaitement ses deux mains encore crispées autour des barreaux, le visage tourné vers le minuscule boyau qui, une vingtaine de mètres plus loin, débouche à l'air libre.

Avec la répulsion que l'on devine, l'instituteur s'approche de la grille pour éprouver sa solidité. Mais, malgré la rouille et le temps, le scellement ne bouge pas d'un millimètre. Alors, collant son visage à quelques centimètres de celle qui voici un siècle est morte dans des circonstances facilement imaginables, Le Gac appelle au secours. De toute la force de ses poumons, il hurle sa présence, d'abord de façon désordonnée, et puis, arrivant à se maîtriser, il cesse ses appels réalisant que de toute façon personne ne s'occupera de le rechercher avant un long moment. En observant la lumière du jour qui scintille à l'autre bout du soupirail, l'instituteur en déduit que l'orifice débouche au-dessus d'une étendue d'eau, donc derrière le manoir, là où des douves baignent encore les murs du vieux château, ce qui n'a rien de réconfortant en soi.

Et l'horrible attente commence. Pour économiser ses forces, Le Gac lance un appel toutes les quinze secondes. Entre-temps il a tout loisir de constater que la seule chance de sortir de ce cul-de-basse-fosse viendra de l'extérieur. En allumant quelques allumettes, il voit, plusieurs mètres au-dessus de lui, tout un dispositif de contrepoids, de roues et de chaînes qui constituent l'ouverture secrète par laquelle il a basculé dans la fosse, tout comme sa malheureuse compagne, voici un siècle.

Surmontant sa terreur, il se force à regarder celle qui n'est plus qu'une momie desséchée. Quelle horrible agonie a dû connaître cette jeune femme ! La même qui l'attend, si personne n'a l'idée de le chercher à l'extérieur, du côté des douves.

Depuis plus d'une heure, l'instituteur crie régulièrement toutes les quinze secondes, lorsqu'il s'arrête soudain. Quelque chose vient d'obstruer l'extrémité du soupirail. Son premier réflexe est de se mettre à crier comme un fou lorsqu'il entend miauler : c'est un chat. Il ne faut pas lui faire peur. C'est sans doute un des chats du gardien, il en a remarqué plusieurs tout à l'heure dans la cuisine. Un immense espoir naît dans le cerveau du prisonnier. Et s'il confiait un message au chat ! Dans sa poche il a un mouchoir à ses initiales, il suffirait de l'attacher au cou de l'animal. Mieux, il a un crayon.

Tout en appelant le chat, Le Gac étale son mouchoir sur le sol et commence à écrire : « Je suis... » Mais il s'avère bientôt impossible d'écrire de façon cohérente. Il faut faire des idéogrammes... Dessiner une oreille et de l'eau : « Ecoutez du côté de l'eau. » C'est ça, l'un de ses élèves va bien comprendre.

Fébrilement, tendant son mouchoir sur le sol avec sa main gauche et son genou droit, l'instituteur trace le pavillon de l'oreille, puis les ondulations qui symbolisent l'eau depuis toujours.

Comme il achève son dessin, le chat arrive, prudemment. Au fur et à mesure qu'il approche, un ronronnement se fait entendre.

« Viens, mon chat !... Viens, n'aie pas peur ! »

La main de l'homme se referme sur la peau du dos de l'animal. Il faut le faire passer entre les barreaux de la grille... Surpris, le chat se met à griffer et à mordre, mais Le Gac est insensible aux blessures que lui inflige l'animal, il le coince entre ses cuisses et entreprend de lui nouer le mouchoir autour du cou. Un tour, deux tours, pas trop serrés pour ne pas l'étrangler, mais suffisamment pour qu'il ne puisse pas l'enlever. Un nœud, deux nœuds bien serrés, eux. Et le messager de l'espoir s'enfuit sans demander son reste...

Une heure s'écoule. Il est à présent cinq heures moins le quart. Régulièrement, toutes les quinze secondes, Le Gac lance son appel au secours, lorsqu'un cri assourdi lui répond... Prêtant l'oreille, l'instituteur entend nettement son nom : « Le Gac ! » De toute la force de ses poumons, il hurle sa présence : « Ici ! » Des minutes s'écoulent, interminables, et puis l'extrémité du soupirail s'obscurcit à nouveau, tandis qu'une voix toute proche se fait entendre :

« Vous êtes là ? Ça va ? »

Comme c'est bon de converser avec un homme libre, pense Le Gac.

« Ne vous inquiétez pas, on arrive ! »

Il faudra vingt-quatre heures de travaux incessants pour parvenir jusqu'à lui. Vingt-quatre heures d'attente interminable, soutenue par le bruit des coups de pioche des ouvriers creusant un tunnel à travers les murs du château.

Quelques jours plus tard, remis de ses émotions, François Le Gac assistera à l'inhumation de Solange de Saint-Pois, épouse de Kermarec, qui fut sa triste compagne de captivité pendant une nuit et un jour.

Elle repose enfin dans la terre de ses ancêtres. Avant de la mettre en bière, quelqu'un s'est avisé de regarder quelle était cette bague noircie qu'elle avait à l'annulaire. C'était son anneau de mariage, avec une date : 10 avril 1830...

Mais alors ? Cet anneau perdu sur la route ?

Un mystère de plus à mettre au compte du château de Kermarec, le château des Noces Noires !

29

LA COLÈRE NOIRE

Louis-Joseph Barrow est manutentionnaire dans une usine de Detroit, une usine d'automobiles, car il n'y a pratiquement que cela à Detroit. Certes, le travail est dur, mais Louis-Joseph ne se plaint pas. En premier lieu parce qu'il a bon caractère, ensuite parce que les temps sont difficiles pour tout le monde. En 1932, la grande crise économique a atteint de plein fouet les Etats-Unis et il n'est pas facile d'obtenir un travail quel qu'il soit, surtout quand on est noir.

Louis-Joseph Barrow a dix-sept ans. A l'usine, ses collègues l'aiment bien et l'admirent en secret, car c'est un colosse : cent kilos tout en muscles. Il est d'une force impressionnante, herculéenne. Dix heures par jour, il décharge les camions qui amènent des plaques de tôle, et les contremaîtres ne le ménagent pas. On lui donne toujours une double charge. Louis-Joseph reçoit sur ses épaules, sans effort apparent, cet énorme fardeau et s'éloigne en sifflotant. Depuis qu'il est entré à l'usine, il a donc fait le travail de deux ouvriers, pour le même salaire que les autres, évidemment.

Un être est vraiment fier de Louis-Joseph : c'est son père, le vieux Barrow. Cela fait quarante ans qu'il travaille à l'usine lui aussi, et jamais il n'a vu costaud comme son fils. Pourtant, au fond de lui-même, le vieux Barrow est amer, et un soir, à la maison, devant la soupe, il dit ce qu'il a sur le cœur :

« C'est pas juste, fiston... Tu travailles double, tu devrais gagner double... »

Louis-Joseph répond calmement avec un bon sourire :

« C'est pas la peine, papa. C'est comme ça, c'est comme ça. Qu'est-ce qu'on y peut, nous autres ?... »

Mais son père secoue sa tête toute blanche.

« Non. Moi, je vais faire quelque chose. Je vais parler à ton chef et il comprendra, tu verras... »

Le lendemain, après le travail, le vieux Barrow va donc trouver le contremaître de Louis-Joseph. C'est un Blanc, comme tous ceux qui ont quelque responsabilité dans l'usine, et il a la réputation d'être particulièrement dur avec ses ouvriers. En le voyant arriver, il a un geste interrogateur du menton :

« Qu'est-ce que tu veux, mal blanchi ?... »

Le père ignore l'insulte, ôte sa casquette et s'exprime aussi poliment qu'il le peut :

« Excusez-moi, monsieur, mais je voulais vous parler de mon fils. Y travaille dur, vous savez. Le double des autres, c'est sûr. Et pourtant, y gagne pareil ! »

Son interlocuteur l'interrompt avec un sourire mauvais.

« Et alors, le négro, qu'est-ce que tu veux dire ? Qu'on roule ton sale bâtard ?... »

Le vieil homme s'est mis à trembler. Il agrippe sa casquette, la serre de tous ses doigts et balbutie :

« Je vous interdis de m'insulter. Nous sommes des hommes comme vous. Mon fils n'est pas un bâtard... »

Mais il ne peut aller plus loin. A toute volée, l'autre lui a envoyé son poing dans la mâchoire. Le père Barrow s'écroule sur le sol, la mâchoire en sang.

Alors surgit un ouragan : c'est Louis-Joseph. Il se précipite sur le contremaître, blême de peur. Il est capable de le tuer d'un seul coup de poing. Mais, avant qu'il ait pu frapper, son père s'est relevé et le retient.

« Non, arrête. Tu ne peux pas frapper un Blanc. Tu irais en prison ou même, on serait capable de te lyncher. Y faut s'en aller, Louis-Joseph, partons... »

Le père a raison. Louis-Joseph le sent bien.

D'un énorme effort de volonté, le jeune homme retient son poing brandi, et sa colère. Mais, voyant son changement d'attitude, le contremaître retrouve toute son arrogance :

« Ah ! voilà que vous êtes raisonnables. Tant mieux pour vous... C'est ça, vous pouvez partir et définitivement, même. Vous êtes virés tous les deux ! »

C'est ainsi que le père et le fils Barrow se retrouvent sans travail. L'un pour avoir travaillé double, l'autre pour avoir osé le dire. Ils cherchent un nouvel emploi et font le tour des usines de Detroit et de la région où on embauche du personnel. Mais chaque fois la réponse est la même. Dès qu'ils prononcent leur nom, les visages se ferment.

« Non, non. Y'a rien pour vous. Le poste est déjà pris. »

La loi américaine interdit aux patrons de se communiquer la liste noire des ouvriers renvoyés pour mauvais esprit, rébellion ou syndicalisme. Mais Louis-Joseph et son père savent bien que cette liste existe et que leur nom y figure. Cela veut dire que plus jamais ils ne retrouveront du travail.

Louis-Joseph, le garçon tranquille, le bon colosse placide, est devenu un révolté. Il a découvert brutalement l'injustice, la méchanceté, la bêtise et la haine. Il continue à frapper aux portes des employeurs en essuyant, jour après jour, les refus et les humiliations... en sachant qu'il est capable d'être un ouvrier exceptionnel. Dans tout Detroit, personne n'est aussi fort que lui.

Et un jour, c'est l'illumination. Un de ses amis noirs lui dit sans trop y penser :

« Pourquoi tu deviens pas boxeur, Louis-Joseph ? Moi, avec les biceps que tu as, c'est ce que je ferais... »

Louis-Joseph réfléchit longtemps. Les paroles

de son père lui reviennent : « Un Noir n'a pas le droit de frapper un Blanc. Tu irais en prison ou même tu serais lynché... »

Or c'est faux ! Un Noir peut frapper un Blanc, à condition qu'il soit boxeur. Et même pour cela, on le paie, on l'admire, et on l'acclame !

Le jour même, Louis-Joseph se rend dans une salle de boxe, où le patron est tout de suite frappé par son physique exceptionnel. Mais on n'engage pas les gens comme ça, surtout les Noirs. Tout ce qu'il lui propose, c'est de devenir sparring-partner, c'est-à-dire de servir de punching-ball vivant à l'entraînement des boxeurs. Le salaire est dérisoire, mais Louis-Joseph Barrow accepte.

Pendant des mois, il reçoit des coups sans avoir le droit d'en donner. La première fois, il est envoyé directement au tapis, mais au fil des jours il apprend à encaisser et à esquiver. Très vite, malgré ses cent kilos, il se révèle d'une agilité extraordinaire. Son jeu de jambes est excellent, et, par un léger mouvement du corps ou de la tête, il évite presque tous les coups.

Mais, s'il apprend la technique de la boxe, Louis-Joseph s'endurcit plus encore moralement. Presque tous ses adversaires sont des Blancs. Et chaque coup qu'il reçoit sans pouvoir le rendre renforce sa détermination et son acharnement. Un jour, il pourra frapper à son tour, et ce jour-là tout ce qui est contenu en lui depuis trop longtemps éclatera.

Ce jour arrive en 1934. Louis-Joseph Barrow est désormais un sparring-partner recherché. Les meilleurs boxeurs demandent à s'entraîner avec lui. Tim Bowley fait partie de ceux qu'il rencontre régulièrement. C'est un Blanc, bien entendu, et d'un bon niveau national.

Après un match d'entraînement où Louis-Joseph s'est montré particulièrement brillant, Tim lui frappe sur l'épaule.

« Dis donc, négro, t'es pas mauvais, tu sais. Qu'est-ce que tu dirais si on faisait un vrai match ? Tiens, je parie 50 dollars que je te bats. »

Ne sachant que faire, Louis-Joseph se retourne vers le directeur de la salle. Mais celui-ci l'encourage.

« Allez, vas-y. Puisque c'est Tim qui te le demande. »

C'est le premier match de Louis-Joseph Barrow qui commence enfin. En pénétrant sur le ring, des images reviennent devant ses yeux : son père, la casquette à la main, tremblant sous l'insulte, son père gisant par terre, le visage en sang. Au coup de gong, il marche sur son adversaire. Il a l'impression de l'entendre prononcer ces paroles qu'il n'a jamais oubliées :

« Mal blanchi, bâtard... »

Tim Bowley recule. Il a lu dans son regard. Il a compris. Il regrette à présent son pari. Il a le même sentiment d'effroi que le contremaître. Mais il est trop tard. Le père de Louis-Joseph n'est plus là pour le retenir. Personne ne peut plus l'empêcher de frapper un Blanc. Il en a le droit. On le lui a dit, on le lui a même demandé. Alors, pour la première fois de sa vie, Louis-

Joseph Barrow frappe. Il frappe et il frappe encore.

Après moins d'une minute de combat, on doit emmener Tim Bowley à l'hôpital. Mais dans la salle, un homme quitte son siège. C'est un des plus grands managers américains. Avant même que Louis-Joseph n'ait retiré ses gants, il est à ses côtés sur le ring et lui sourit à travers son cigare :

« C'est bien, petit. Tu sais frapper et t'as l'air d'aimer ça. Si tu signes avec moi, tu feras une grande carrière, je te le promets... Mais avant, il faudra changer de nom... Louis-Joseph Barrow, c'est trop long... Tiens, en prenant tes deux prénoms, ça fait Joe Louis... Qu'est-ce que t'en penses ? Joe Louis ? »

Le 22 juin 1937, à Chicago, Joe Louis est devenu champion du monde des poids lourds en battant James Braddock par K.O. à la huitième reprise. Par la suite, il a défendu 28 fois victorieusement son titre, avant de le perdre en 1950. Certains spécialistes le considèrent, encore aujourd'hui, comme le plus grand champion de tous les temps. Si Joe Jouis a pu faire une telle carrière, c'est évidemment grâce à ses qualités physiques et à sa technique exceptionnelle. Mais peut-être aussi parce que, chaque fois qu'il rencontrait un adversaire, il revoyait un homme à terre, un vieil homme, humilié, ensanglanté, pour avoir osé réclamer la justice. Alors, il se battait non seulement pour un titre ou de l'argent, mais aussi pour la dignité de sa race. Et il s'est bien battu.

30

LA TENDRESSE

Imaginez une place, la place de l'église, ou la place de la mairie, dans un petit bourg du Midi.

Une allée de platanes, la fontaine, les joueurs de boules, et du soleil qui tremble au travers des feuilles.

Sur cette place un banc. Et sur ce banc un « vieux ». Oh, pardon! on ne dit plus vieux, on dit troisième ou quatrième âge, pour ne pas traumatiser. D'accord. Alors monsieur Careuil doit être du sixième âge. Il a quatre-vingt-douze ans. Et ce n'est pas un pépé, non... C'était un pépé. Et on ne veut plus de lui comme pépé.

Dans une maison de la place où vit sa famille, et où chacun se dispute à longueur de journée, l'espace et l'oxygène se sont faits de plus en plus rares, au fur et à mesure que les enfants grandissaient et multipliaient.

Le pépé, ce n'est que le pépé maternel, il vit là depuis vingt ans, de par la bonté de son gendre. Un gamin de cinquante ans. Et la bonté du gen-

dre a des limites, courtes, mesquines et hypocri-
tes qui plus est.

Il a déclaré qu'il en avait assez du pépé, que le
pépé prenait de la place et qu'il allait le décider à
partir pour l'hospice. Il a dit ça dans la cuisine,
entre ses dents. Mais le pépé a entendu. Il n'est
pas sourd et il n'était pas là, mais il a deviné ce
qu'il n'a pas entendu. Alors très efficacement, et
sans qu'il soit besoin d'en parler vraiment, les
intentions du gendre se sont vues comme le nez
au milieu de la figure.

D'abord, plus de chambre. La cadette a vraiment besoin d'avoir la sienne à présent. Le pépé
dormira dans l'appentis derrière la cuisine, il y a
bien assez de place pour y mettre un lit. Ensuite,
si le pépé a faim à heures fixes, eh bien, il n'a qu'à
manger dans la cuisine, et s'il n'aime pas ci ou ça,
eh bien, qu'il fasse sa cuisine lui-même. Il est bien
assez vaillant, pour trouver ses pantoufles et ses
binocles tout seul. Même le docteur le dit, il fera
un centenaire! A cet âge, il y a longtemps que la
plupart des gens sont à l'hospice. Alors, ne pas
dire pépé, alors qu'on le dit en famille, et dire
cinquième âge pour ne pas dire vieux, il y a des
familles où cela ne compte pas. Des familles où
l'on est méchant avec les vieux, où il y a des vieux
martyrs moralement. Nos maisons ne sont plus
faites pour que le cercle de famille s'agrandisse à
grands cris. Alors plus de pépé.

Un jour, le gendre dit carrément :

« Je me suis renseigné pour votre inscription à
la maison de repos... Vous savez, comme vous
n'êtes pas grabataire, et que vous n'avez pas

242

besoin de soins spéciaux, ils vous prendront dans un pavillon à part, là où il n'y a que des gens valides. C'est plus gai, non ? »

Plus gai ! Je t'en ficherai des plus gais. Si le pépé en avait eu la force, il lui aurait bien aplati le nez, à son gendre, pour qu'il ait l'air plus gai lui aussi.

Qu'on ne veuille pas le laisser dormir au salon, d'accord. Qu'on le jette dans un cagibi, d'accord, mais qu'on aille se renseigner pour l'inscrire dans un de ces fichus hospices, à sa place, comme s'il était un bébé, quelle humiliation...

Mais il a marmonné sa colère intérieurement, le pépé, parce que les yeux de sa fille le suppliaient, et extérieurement il a grommelé :

« J'irai voir. »

Voilà pourquoi, ce jour de juin 1964, il est assis sur un banc, sous les tilleuls, d'où il regarde avec morosité les joueurs de boules au soleil couchant.

Une vieille dame vient s'asseoir à ses côtés. Le teint frais, l'œil alerte, avec sa canne et son petit sac, qui doit bien dater de 1920, quand elle avait vingt ans.

Entre gens d'une même minorité, c'est bien connu, on se reconnaît, on se sourit facilement et on se parle encore plus facilement.

« Bonjour, madame...

— Bonjour, monsieur... »

Et on parle de généralités.

Du temps qu'il fait aux rhumatismes, la conversation se poursuit tranquillement, et passe des joueurs de boules dont l'un vient de tricher (c'est sûr), à l'oiseau qui sautille là-bas dans l'allée.

Puis, les généralités étant épuisées, il ne reste plus qu'à se taire. A quatre-vingt-dix ans, comme à vingt ans, on est pudique, on ne raconte pas sa vie comme ça, tout à trac...

Au moment de se séparer, François Careuil, quatre-vingt-douze ans, se présente en s'inclinant comme à la belle époque, et dit qu'il habite de l'autre côté de la place. Marceline Courbet, elle, répond qu'elle n'est pas d'ici, mais d'une toute petite ville de la région, elle n'est venue que pour voir une cousine un peu malade, et elle ne restera que quelques jours...

« Au revoir...

— Au revoir...

— Peut-être à demain...

— C'est ça... »

Et le lendemain, elle vient prendre l'air sur le banc, et tous deux rediscutent. Et le surlendemain aussi...

Peu à peu il raconte sa vie, le gendre qui veut l'envoyer à l'hospice.

« C'est honteux, dit la dame. Moi, j'ai heureusement une petite maison avec un bout de jardin. Mais je suis veuve depuis la guerre de 14, vous savez... Et la solitude ce n'est pas drôle... Mais il paraît qu'il y a de bonnes maisons de retraite.

— Non, dit François Careuil. Moi, je n'ai pas de bonne maison, parce que pas de bonne retraite. J'étais artisan cordonnier, et bourrelier aussi, et c'est une misère ce qu'on me donne.

— Que voulez-vous, dit la dame, il faut bien faire avec son âge ! »

Faire avec son âge ? Le pépé éclate de colère.

Qu'est-ce que ça veut dire, faire avec son âge ? C'est une stupidité du genre : il faut bien que vieillesse se passe et la suite ! Et si on ne faisait pas avec ? Hein ? Si on décidait de faire autrement ?

Marceline, un peu suffoquée, ne voit pas comment...

« Eh bien, partir, aller coucher sous les ponts s'il le faut, mais ne pas se laisser traiter comme des bébés séniles alors qu'on a une tête, deux bras et des jambes, nom d'une pipe...

— Mais comment faire avec votre petite pension ?

— Eh bien, j'irai chez les clochards, ou à l'Armée du Salut, je trouverai bien quelque chose à bricoler pour gagner trois sous en plus, je n'ai pas perdu la main, vous savez, j'ai encore quelques outils... Tenez, regardez, c'est moi qui l'ai réparée cette chaussure, semelle, talon, tout. C'est encore du bon travail, hein ? Et même votre sac, là, la bretelle, vous voyez, il suffirait de reprendre ça, et hop, il est comme neuf... »

Ils sont là, tous les deux, assis sur le banc de bois vert sous un tilleul, lui une chaussure à la main, elle son chapeau de travers, et ils rient. On pourrait les prendre pour un grand-père et une grand-mère surveillant, là-bas, les enfants qui jouent et crient entre les arbres...

Le lendemain, c'est Marceline qui raconte sa solitude, ses quatre-vingt-sept ans, son chien, ses deux chats qu'elle a dû mettre en pension pour quelques jours. Son mari avait vingt-deux ans quand il a disparu dans une tranchée. Il lui avait laissé une fille, qui est partie vivre sa vie aux États-Unis. Elle écrit une fois par an, juste pour savoir si elle n'est pas morte. Et elle vient en vacances tous les deux ans, avec un mari si américain qu'il en est incompréhensible.

« Vous savez, ils attendent que je disparaisse pour transformer la maison, je le vois bien. C'est dommage, je préfère une petite maison et un grand jardin, pas vous ? »

Et les voilà qui parlent de roses...

Le septième jour, la grosse chaleur a éclaté, enfin, et l'orage bienfaisant s'abat sur les platanes, qui en frissonnent de plaisir. De larges gouttes d'eau tiède éclaboussent la poussière, et les joueurs de boules se sont réfugiés au café de la place. François a plié son journal en deux sur le banc, pour s'asseoir. Il est triste sans savoir pourquoi. La discussion de midi avec son gendre n'a pas été plus dure que d'habitude. Mais il est triste quand même. Les grands mots, c'est bien beau, mais coucher sous les ponts et trouver du travail... Comment faire, bon sang, pour s'en sortir avec 647 francs de pension par trimestre (ancien combattant compris) ?

Elle arrive à petits pas menus, essoufflée, et François déplie son journal, pour le plier dans l'autre sens, et lui permettre de s'asseoir au sec sur le banc perlé de pluie.

L'orage s'est tu. Mais Marceline annonce qu'elle part le lendemain. La cousine n'a plus besoin d'elle, et il faut bien rentrer.

Alors, ils se taisent tous les deux. Tristes tous les deux. Tristes d'être vieux, seuls et inutiles, de ne pas servir à quelque chose, d'encombrer les autres ou d'être ignorés d'eux.

Mais tristes seulement. Pas lugubres. Ni Marceline, ni François ne sont des lugubres. Une goutte de pluie énorme s'écrase sur le nez de François et Marceline en rit, en lui prêtant son mouchoir...

Et puis, tout à coup, rouge de confusion, elle se jette à l'eau. Elle y a pensé, peut-être pas tout de suite, pas le premier jour, mais ça s'est mis à tourner dans sa tête, comme ça, seulement, elle n'ose pas...

« Allez-y, bon sang, si vous avez une idée derrière la tête, il faut la dire. Je peux faire quelque chose pour vous ? demande François Careuil.

— Nous pouvons faire quelque chose tous les deux... Voilà, combien avez-vous de pension ? 647 francs, et moi 728 francs; au total : 1 375 francs par trimestre. Mais j'ai aussi une petite rente, qui nous amène à environ 1 800 francs... et j'ai la maison. Elle est à moi, avec le jardin, je ne paie pas de loyer... »

François a peur de comprendre; il bredouille :

« Ecoutez, je ne pourrais pas vous payer une pension convenable ! Et être à votre charge... ça, il n'en est pas question ! »

Mais Marceline bafouille :

« Non, je n'ai pas dit ça. Je veux plus, vous pouvez me donner plus. Marions-nous. Marions-nous, comme cela la maison restera comme elle est, le plus longtemps possible, même si l'un de nous disparaît avant l'autre. Et puis, vous avez dit : battons-nous, ne nous laissons pas faire...

alors, marions-nous... Vous voyez d'ici la tête de votre gendre, et celle de ma fille ? »

François a réfléchi, juste un peu. Les pensions ensemble, ça, c'est pas bête. La maison, le jardin, il y mettra des roses, et elle ne sera plus seule. Et puis il fera les petits travaux qu'une femme ne peut pas faire.

Ils ne s'entendent pas trop mal tous les deux. Et à leur âge, on ne tombe pas amoureux, on tombe d'amitié, de tendresse.

La cérémonie a eu lieu le 10 juillet 1964, à 9 heures à la mairie et 11 heures à l'église.

Elle portait une robe mauve, quatre-vingt-sept ans, et ses cheveux gris.

Il portait un costume bleu, quatre-vingt-douze ans, et un chapeau de paille.

Et il a fait comme tous les jeunes mariés, il a cherché les alliances dans toutes ses poches avant de s'apercevoir qu'il les avait justement dans son gilet pour les trouver tout de suite.

C'était une cérémonie privée, et la famille n'était pas invitée.

Mais deux ou trois bigotes, qui erraient dans l'église ce matin-là, en sont restées comme deux ou trois ronds de flan.

31

LE BALLON ROUGE

Le ballon rouge a résonné joyeusement sous le coup de pied du gamin. Il a volé dans le ciel de Floride, rouge dans le ciel bleu. Une belle arabesque l'a mené jusqu'au faîte d'un mur, sur lequel il a rebondi. Les yeux au ciel, les bras tendus, le gamin guettait, deux mètres plus bas, mais le ballon est retombé du mauvais côté. Plus de ballon.

Georges a huit ans. Du bout des talons à sa plus haute mèche de cheveux blonds, il mesure 1,10 m, et le mur lui donne le vertige. Que faire ? Ce mur, il le connaît bien. C'est celui de la maison de Bonnie Blanchard. Personne n'y entre jamais. Les grandes personnes disent que Bonnie Blanchard a mauvais caractère, qu'elle est riche comme Crésus et avare comme une pie. Georges ne se sent absolument pas le courage d'aller frapper à la porte pour y réclamer son ballon.

Seulement il l'aime, ce ballon. C'est le ballon de son anniversaire. Il est tout neuf, léger comme l'air, et d'un si beau rouge, qu'il veut le récupérer.

Puisqu'il ne peut ni grimper, ni sonner à la porte, Georges va faire comme les souris... creuser. Pour cela, il faut trouver un endroit propice. Un petit trou dans le mur, ou une pierre disjointe.

Le mur est long. La propriété tout en bas de la ville, dans le quartier chic, représente quelques millions de dollars et Georges a bien du mal à en faire le tour, bien du mal à trouver une faille. Enfin il avise un endroit possible, près d'une porte condamnée, un espace d'une vingtaine de centimètres.

En rentrant chez ses parents le soir, Georges dit qu'il a rangé son ballon au garage. En réalité, il a gratté quelques centimètres dans le trou, et cet exploit lui a demandé tout l'après-midi. En quatre jours, il arrive à passer l'épaule, et la tête, il a gagné. Pourvu que le ballon soit là.

Georges n'est pas rassuré du tout. Dans sa tête de petit garçon, les commentaires des voisins sur Bonnie Blanchard la font ressembler à une espèce de vieille sorcière. Elle a toujours vécu dans cette villa dont le luxe ne convient guère à sa silhouette de paysanne avare. Sans mari, sans enfant, sans domestique, sans jardinier, elle doit errer dans ses dix-pièces-terrasse-piscine, comme un fantôme. Du coin où il se trouve, Georges aperçoit d'ailleurs la piscine, mais il hésite à s'avancer sur terrain découvert. Comment retrouver son ballon, si toutefois il s'y trouve encore ? A gauche de la piscine, un petit bungalow, bizarre assemblage de briques et de tôles, une remise de jardinier sans doute. Georges choisit de courir jusque-là, pour se mettre à l'abri. Et il a une excellente idée, car il retrouve le ballon rouge, heureusement dissimulé par un massif de fleurs en friche.

A plat ventre, le gamin rampe sur quelques mètres, attrape son ballon et regagne vite l'abri provisoire du bungalow. Essoufflé, il s'appuie un instant contre le mur de briques et un curieux bruit le fait trembler. Dans son dos, à l'intérieur de la cabane, quelque chose bouge. Quelque chose ou quelqu'un. Un chien, peut-être. En prêtant l'oreille, le gamin perçoit une sorte de ronflement.

La curiosité étant plus forte que la peur, Georges fait prudemment le tour du bungalow dont l'unique porte est close d'une barre de fer et d'un cadenas. Aucune fenêtre. Impossible d'entrer. Par contre, entre les tôles, Georges peut regarder à l'intérieur. Il fait sombre. L'enfant, tout d'abord, ne voit rien, puis une forme dans un angle à peine éclairée par les rayons du soleil, jouant entre les tôles. Georges se dit immédiatement : c'est un grand-père. Pour lui, un homme qui porte une barbe blanche et des cheveux blancs est un grand-père. Il en a un tout pareil. Le grand-père en question ne bouge pas. Georges l'observe prudemment plusieurs minutes. C'est lui qui ronflait tout à l'heure. C'était lui le drôle de bruit. Il n'a pas l'air bien méchant. Georges gratte après la tôle.

« Eh, grand-père ?... Grand-père ? Vous êtes enfermé ? »

Le vieil homme ne répond pas, mais le gamin le

voit se traîner sur le sol, en direction de sa voix, alors il l'encourage.

« Je suis par là. Eh! qu'est-ce qui vous arrive? On vous a enfermé? »

Les yeux du vieil homme et ceux de l'enfant sont à présent face à face, de chaque côté de la cloison. Deux paires d'yeux bleus à quelques centimètres l'une de l'autre.

Georges, qui espérait une réponse, est bien déçu. Le vieux ne dit rien. Il le regarde sans bouger, fixement. Alors Georges essaie d'écarter la tôle pour y voir mieux. Sa petite main s'agrippe et tire de toutes ses forces. De son côté le vieillard fait de même. Une main décharnée et grise tente de passer au travers. Mais les tôles résistent. Et c'est tout juste si les doigts, jeunes et vieux, arrivent à se toucher. Puis les vieux agrippent les jeunes. Georges n'a plus peur. Un grand-père est un grand-père, après tout.

« Eh! vous ne pouvez pas sortir, hein? c'est défendu? »

Enfin, le regard du vieux s'illumine un instant. Il a compris le mot « défendu », et il le répète, en hochant la tête :

« Défendu... Défendu... »

Georges connaît les choses défendues. Il sait comment les contourner.

« Attendez-moi, je reviens... »

Et il galope à ras de terre, son ballon sous le bras. Cinq minutes plus tard il est dans le garage de son père et troque son ballon contre un outil pris au hasard, une clé à molette. Et le voilà de nouveau traversant le haut mur, rampant jusqu'au bungalow, et transpirant pour agrandir la faille entre les deux tôles.

Au bout d'une heure d'un travail désordonné mais efficace, le vieillard et l'enfant se parlent par une minuscule fenêtre de tôle tordue. C'est un étrange dialogue. Instinctivement, l'enfant a compris qu'il fallait procéder par mots essentiels. En apercevant la corde qui serrait les chevilles du grand-père, il dit :

« Attaché ? »

Le grand-père répète :

« Attaché... Attaché... »

Il montre son cou, entouré d'une chaîne, et la chaîne accrochée au toit, inaccessible. « Manger ? » dit Georges. Et le vieux montre une gamelle vide.

Georges tend une barre de chocolat, qui a quelque peu fondu dans sa poche, et regarde le vieux la grignoter en silence, comme un chien sans dent. Deux grosses larmes perlent sur les vieilles joues. Il pleure en silence, aussi.

« T'as mal ? » demande Georges.

Mais le vieux fait signe que non.

« T'as de la peine ? demande Georges.

— De la peine... de la peine... », répète le vieux, sans comprendre. Peut-être a-t-il de la peine, mais il ne sait pas ce que c'est, en tout cas. Georges renifle :

« Ça sent mauvais, ici », dit-il d'un air dégoûté, puis il ajoute gaiement :

« Allez, je reviendrai demain... Je t'amènerai des crêpes. Tu aimes ça, les crêpes ?

— Crêpes... », répète le vieux d'un air joyeux.

Et Georges s'en va comme il était venu. En rentrant chez lui le soir, il dit à sa mère :

« Maman, j'ai vu un grand-père attaché dans une cabane. Il a faim. Tu me feras des crêpes pour lui, demain ? »

Et en riant, sa mère lui promet des crêpes. Ce gosse inventerait n'importe quoi pour manger des crêpes, dit-elle.

Le lendemain, Georges retraverse le mur avec trois crêpes dans une serviette en papier. Et il regarde le grand-père attaché les manger en pleurant en silence, comme la veille.

« T'as soif ? dit Georges.

— Soif », fait le vieux qui rampe vers une cuve métallique, y trempe péniblement sa gamelle et boit.

Georges passe le reste de l'après-midi à agrandir le trou dans la tôle, et vers le soir il distingue parfaitement l'intérieur de la cabane. Une odeur pestilentielle le prend à la gorge... Des croûtons de pain traînent sur le sol couvert de crasse. Ni lit, ni chaise, ni table, rien. Dix mètres carrés de saleté, et un vieil homme attaché au cou, par une chaîne scellée au plafond, c'est tout.

« Tu veux sortir, dit Georges.

— Sortir, répète le vieux, sortir... sortir...

— Tu veux enlever ta chaîne ?

— Chaîne... sortir ? Sortir ! dit-il, le regard fou.

— Attends, dit Georges, je reviens... »

Il a fallu plusieurs heures au petit Georges pour convaincre son propre grand-père resté seul à la maison dans son bon fauteuil qu'il y avait là-bas, chez Bonnie Blanchard, un autre grand-père sale et affamé, enchaîné par le cou. Il l'a obligé à passer par le trou du mur et à ramper avec lui jusqu'au bungalow.

Puis tous deux sont allés voir le shérif de ce quartier chic de Miami, en Floride. Et le lendemain...

Le lendemain, Bonnie Blanchard, mauvaise, rageuse, affirmait au shérif qu'elle hébergeait un pensionnaire et que cela ne regardait personne.

Ça regardait tout le monde, au contraire.

Bonnie Blanchard, soixante-quatre ans, laide, bouche mince et regard en biais, a dû affronter les juges, et s'est mise à mentir contre toute évidence.

Depuis vingt-cinq ans, elle séquestrait Victor Hartman pour lui prendre les 150 dollars de sa pension mensuelle. Homme simplet, il était entré chez elle comme jardinier, en 1948, à l'âge de cinquante-cinq ans. Il en est ressorti vieux et fou en 1973, à l'âge de quatre-vingts ans et pesant quarante kilos. Sa geôlière ne lui donnait que du pain et de l'eau, juste de quoi le maintenir en vie et toucher la pension, qu'un facteur déposait bien innocemment tous les mois, contre la signature du vieux, qui était toujours, comme par hasard à ce moment-là, à l'autre bout du jardin.

Devant les juges, Bonnie mentait toujours. Victor Hartman était un pensionnaire !

« Pourquoi l'attacher, alors ? demanda le procureur...

— Pour qu'il ne tombe pas dans la piscine... Il aurait pu se noyer... »

Le petit Georges et son grand-père ont bondi comme deux gosses !

« Menteuse ! Y' avait même pas d'eau ! »

32

CELUI QU'ON NE PENDIT PAS

L<small>E</small> 23 février 1885, à 6 heures 58, le chapelain de la prison d'Exeter, en Grande-Bretagne, vient en compagnie du shérif et du gardien-chef réveiller John Lee, condamné à mort.

Récemment nommé — c'est sa première exécution capitale — le chapelain n'aime pas cela et on le comprend. L'échafaud a été monté la veille dans la cour de la prison, face à la chapelle, et chaque coup de marteau a été pour lui un véritable supplice.

Quarante ans de cure dans le Sussex l'ont un peu attendri et son âme sensible se révolte à l'idée d'assister à un tel spectacle. Mais n'est-ce pas son rôle d'être là et de prier au moment où John Lee rendra son âme à Dieu ?

A sa grande surprise, le condamné les reçoit avec un large sourire, il plaisante même :

« Alors, on y va ? C'est le grand jour. Après vous, messieurs... »

Le chapelain lui demande s'il désire le secours de son ministère.

« A quoi bon, répond John Lee, puisqu'on ne se quitte pas. »

Dans la cour, M. Berry, le bourreau, lui lie les mains derrière le dos. Le chapelain, récitant des prières, gravit avec eux les marches de l'échafaud, et gagne la place qui lui est réservée.

« Avez-vous quelque chose à dire? » demande le shérif.

D'une voix claire, John Lee répond :

« Non. »

Alors, tout va très vite. Le bourreau enfile la cagoule blanche sur la tête du condamné, lui passe le nœud autour du cou, se recule, et fait signe à son aide. Le chapelain ferme les yeux et hausse le ton de sa prière. L'aide tire la corde qui commande le verrou... et la trappe ne bascule pas.

Un grand silence règne pendant quelques secondes autour de l'échafaud. Puis le bourreau réagit, il fait signe à son aide, qui se précipite sous le plancher pour remettre le verrou à sa place. A la suite de quoi il retire la corde et la cagoule de John Lee, dont le visage apparaît, pâle mais réjoui.

« Coucou! » dit-il et il ajoute à l'adresse du chapelain qui sent ses jambes se dérober sous lui :

« Je vous avais dit qu'on ne se quitterait pas! »

Vu l'exiguïté de l'échafaud, le chapelain et le condamné sont priés de descendre, puis le bourreau et son aide procèdent à une vérification. A la commande, le verrou est tiré et... la trappe bascule dans un bruit sinistre.

M. Berry, le bourreau s'excuse.

« Désolé, mais il faut recommencer...

— Faites donc », répond John Lee, apparemment très calme.

On lui remet la cagoule, on repasse le nœud coulant autour du cou. Le chapelain referme les yeux et récite ses prières. Le bourreau fait signe : « Verrou ! » L'aide tire sur la corde. Dans un bruit sec le verrou coulisse. Et la trappe ne bascule pas.

Cette fois, c'en est trop ! L'aumônier regarde en direction du shérif qui roule des yeux furibonds vers le bourreau. On remet le verrou, on enlève la corde, la cagoule...

« Ramenez le condamné dans sa cellule ! »

Tandis que John Lee s'éloigne sous la conduite des gardiens, le chapelain gagne la chapelle pour prier Dieu d'intercéder auprès des hommes, et qu'ils gracient ce malheureux condamné qui par deux fois vient de subir les affres de la mort.

Pendant ce temps, le bourreau ne reste pas inactif, et le verrou tiré fait basculer la trappe à tous les coups. Mieux, M. Berry se met sur la trappe et saisit la corde à pleine main, en ordonnant :

« Verrou ! »

Dans un bruit sec, la trappe bascule et le bourreau se balance à la corde un instant avant de se laisser tomber sous l'échafaud.

« Ça marche !

— Alors, finissons-en ! »

On retourne donc chercher le malheureux John

Lee qui a l'air de prendre tout cela avec une décontraction exemplaire.

« Mais puisque je vous dis qu'on ne se quittera pas. Pourquoi insister ? »

Le malheureux chapelain est prévenu que l'exécution va reprendre. Il tente d'objecter que, étant donné les circonstances... vu la répétition de ce signe évident de la volonté divine... on pourrait sans doute surseoir... Mais, imperturbable, le shérif rétorque que chacun doit s'occuper de son rôle. La justice divine est une chose, et la justice des hommes en est une autre. John Lee a tué, il doit mourir.

La nouvelle de cette extraordinaire exécution a fait le tour de la prison et tous les détenus sont cramponnés aux barreaux des fenêtres, les yeux rivés sur cet homme, qui, en compagnie du bourreau et du chapelain, monte pour la troisième fois sur l'échafaud. Chacun prend sa place. Avant de mettre la cagoule une nouvelle fois sur le visage de John Lee, M. Berry s'adresse à lui à voix basse :

« Excuse-moi, vieux, mais cette fois c'est la bonne.

— Crois-tu ? » répond le condamné avec un grand sourire.

Pour couper court à cette ironie inquiétante et d'un goût douteux, M. Berry lui passe la cagoule, puis le nœud coulant qu'il serre juste ce qu'il faut, fait deux pas en arrière. Dans son coin, le chapelain, pour la troisième fois, récite ses prières en fermant les yeux. Alors, dans le silence de mort qui se fait soudain, on entend monter une voix, une voix qui chante une vieille mélodie anglaise. C'est John Lee, sous sa cagoule, il chante d'une voix forte et assurée.

Surpris, le bourreau tourne son regard vers le shérif, c'est la première fois qu'une telle chose lui arrive. Ne pourrait-on pas ?...

Mais le shérif s'impatiente déjà. Qu'attend M. Berry pour commander le verrou à son aide ? Il fait un geste impératif, que le bourreau répercute. L'aide tire sur la corde, le verrou fonctionne parfaitement... et la trappe ne bascule pas !

Une formidable ovation retentit dans la cour de la prison. Tous les détenus hurlent de joie. Fou de rage, le shérif jette son bonnet à terre et le piétine :

« Qu'on ramène le condamné dans sa cellule et qu'on m'envoie le fichu charpentier qui a construit l'échafaud. »

Sous les ovations de ses camarades, John Lee repart vers sa cellule en saluant de la tête tel un toréador qui sort victorieux d'une arène. Le chapelain s'approche du shérif et commence une phrase interrompue aussitôt.

« Vous, occupez-vous de ce qui vous regarde ! »

Le charpentier s'appelle Frank Ross; c'est un ancien condamné à mort, dont la peine a été commuée en prison à vie. Il a l'air ébaubi devant la question du shérif :

« C'est toi qui as construit ce fichu matériel ? »

Comment nier la vérité, voilà quinze jours que l'administration lui a demandé de fabriquer l'échafaud, d'après les plans classiques et conformes à tous les échafauds du royaume.

« A ton avis, qu'est-ce qui ne va pas ? »

Frank Ross hausse les épaules. Il ne sait pas, il ne s'explique pas. Peut-être que la pluie de la nuit a fait jouer le bois ?

« Alors rabote la trappe ! »

Sous les huées des détenus qui manifestent leur réprobation aux fenêtres des cellules, le shérif surveille lui-même le rabotage des planches. Trois fois de suite il prend lui-même la place du condamné comme l'a fait précédemment M. Berry. Trois fois il commande de tirer le verrou. Trois fois la trappe s'ouvre et il reste pendu par les mains à la corde.

« Cette fois, ça marche, alors allons-y une bonne fois. Finissons-en ! »

Et sous les ovations frénétiques de ses camarades, John Lee monte pour la quatrième fois sur l'échafaud. Pour la quatrième fois M. Berry, dont les mains tremblent, lui passe la cagoule et la corde, pour la quatrième fois le chapelain ferme les yeux et prie le Ciel que le miracle se reproduise. Un silence de mort s'est établi à nouveau sur les lieux.

Comme le pauvre M. Berry tremble de tous ses membres, c'est le shérif qui fait signe à l'aide, qui pour la quatrième fois tire sur la cordelette. Pour la quatrième fois le verrou fonctionne... et pour la quatrième fois, la trappe ne bascule pas !

C'est du délire. Une ovation formidable monte jusqu'au ciel. Des centaines de poitrines hurlent leur joie. M. Berry se précipite pour mettre le verrou en place. Le shérif, pâle comme un mort, quitte les lieux, la tête basse. Le chapelain, à genoux sur l'échafaud, remercie Dieu d'avoir épargné la vie de cet homme.

Et John Lee regagne sa cellule. Quelques jours plus tard, la Chambre des Communes commue sa peine de mort en prison à vie.

Vingt-deux ans plus tard, le condamné sera libéré sur parole. Il se mariera même, et sera malheureux en ménage. Et puis John Lee mourra de sa belle mort en 1943.

C'est avant de mourir qu'il confiera son secret, car il n'y avait pas eu de miracle, hormis l'habileté de Frank Ross, le charpentier. A l'endroit où se plaçait le chapelain, il avait installé une planche qui, sous le poids de l'homme, avançait de quelques centimètres et venait coincer la trappe. Lors des essais, le chapelain n'était pas à sa place, et tout fonctionnait normalement. Mais lors de chaque exécution, la planche faisait son office.

Ce fut la dernière fois en Angleterre que l'administration fit appel à un détenu pour fabriquer un échafaud.

33

L'AUTO-STOPPEUR

« Qu'est-ce que ça doit consommer un pareil engin ! »

En voilà une question insidieuse, pense M. Chimier, c'est évident qu'une grosse cylindrée consomme plus qu'une petite. Et les dimensions de sa voiture ne laissent aucun doute sur ses nécessités en carburant. En guise de réponse, il émet un grognement vaguement approbateur. Quelle idée de prendre cet auto-stoppeur. Lui qui n'en prend jamais, comment a-t-il pu répondre « Oui » ? Il est vrai que l'autre ne lui a pas vraiment laissé le choix. Il n'avait pas fini de poser la question : « Vous allez à Paris ? » qu'il avait déjà ouvert la portière et s'était assis à côté de lui. De toute façon, une voiture immatriculée 75 qui, à la sortie de Lisieux, roule en direction d'Evreux va forcément à Paris. La question appelait obligatoirement une réponse positive. Evidemment il aurait pu dire : « Je ne prends jamais de stoppeur. » Il aurait pu surtout verrouiller ses quatre portières et faire signe « non » d'un doigt impératif. Au lieu de cela, il s'est laissé avoir comme un débutant : un camion qui manœuvre au sortir d'un chantier l'oblige à s'arrêter. Il baisse sa vitre pour passer la tête et voir s'il peut déboîter par la gauche, et la portière droite s'ouvre : « Vous allez à Paris ? » Surpris, non, pris de court, voilà le terme exact. Pris de court, il n'a pu dire que oui.

« Ça doit coûter un paquet, une voiture comme ça ? »

M. Chimier jette un coup d'œil vers son passager et constate un petit sourire ironique au coin des lèvres.

« C'est pas donné, évidemment. »

Quelle réponse idiote, pense-t-il aussitôt.

« Quand on gagne plein de fric ! »...

Et voilà, c'était couru d'avance. Plutôt que de dire que la voiture appartenait à la société qui l'emploie ou quelque chose de ce genre... il est tombé dans le panneau.

« Vous gagnez combien par mois, vous ? »

La question est si directe et si inattendue que M. Chimier donne un léger coup de volant qui a pour résultat de faire faire une légère embardée au véhicule. La réaction n'a pas échappé au passager.

« Oh ! là !... Chatouilleux du côté portefeuille, à ce que je vois, vous gagnez sûrement beaucoup plus que je ne le supposais. C'est curieux comme en France on a le complexe du salaire. Aux Etats-Unis, quand deux types font connaissance, très vite ils annoncent le montant de leurs impôts, ça

266

renseigne mieux que n'importe quoi sur la réussite d'un individu. »

Il est plus évolué que je ne le supposais, pense aussitôt Chimier, il a dit « Etats-Unis » plutôt qu'Amérique, et l'anecdote demande la connaissance d'un certain milieu.

« Il est vrai, poursuit l'homme, que les Américains sont dans un pays capitaliste qui l'avoue alors qu'ici nous sommes dans un pays capitaliste qui a peur de se le dire. »

M. Chimier se garde bien de relever ce propos, qui le lancerait dans une discussion politique sans issue. L'homme doit être gauchiste et il a toujours eu la haine des gauchistes, comme son père avait la haine du communiste et son grand-père de l'anarchiste. Ce genre de haine-là, c'est héréditaire par l'ampleur de l'héritage.

Après un long silence qui laisse espérer au conducteur que son mutisme a désarmé l'auto-stoppeur, celui-ci reprend en désignant le poignet de Chimier :

« Elle est chouette, votre montre ! »

Cette nouvelle allusion à son opulence a le don d'agacer profondément le conducteur :

« Oui, et alors ? »

Le ton agressif de la réplique fait pivoter l'individu vers lui :

« Et alors, et alors ! Faut pas être nerveux comme ça, cher monsieur. Un accident est si vite arrivé... et la vie, c'est quand même ce qu'on possède de plus précieux, pas vrai. »

Chimier accuse le coup. C'est un avertissement ou une menace directe. Ce pourrait être aussi bien une allusion toute bête au fait que, tenant le volant, un homme nerveux risque de faire une faute de conduite mais il n'a pas le temps de répondre à son interrogation que l'autre enchaîne :

« Tenez, moi qui sors de prison, j'ai pas envie du tout qu'il m'arrive un accident. Et pourtant j'ai rien à perdre, mais alors là, moins que rien. »

Un frisson d'angoisse parcourt le dos du conducteur. Cette fois-ci c'est le coup dur. Le « sorti de prison » qui vous aborde dans la rue en vous demandant un franc ou une cigarette, il est toujours possible de l'éviter en le bousculant ou en faisant semblant de ne pas comprendre ce qu'il vous raconte à voix basse, mais, ce type assis à 20 cm de vous, tandis que vous tenez le volant... Qu'est-ce qu'il cherche dans sa poche ?... Un revolver ?... Non, ce genre d'individus travaille plutôt au couteau. M. Chimier décide que le seul moyen de dissuasion dont il dispose, c'est la vitesse. Tant que la voiture roulera à vive allure, il ne risquera rien, ou alors ils risqueront autant l'un que l'autre.

L'homme a sorti de sa poche un paquet de cigarettes tout mince et tout fripé.

« Vous avez du feu ? »

Machinalement, Chimier porte sa main droite vers la pochette intérieure de son veston, et puis il se rappelle que son briquet est en or et il désigne l'allume-cigares.

« J'aime mieux une flamme ! »

Se maudissant pour ce geste qui va sans doute encore amener une allusion à l'argent, le conducteur s'exécute. Le passager regarde le briquet sous toutes ses faces.

« J'ai connu un Chimier, mais c'était pas Jean, c'était Louis... »

C'est malin d'avoir fait graver son nom dessus, c'est bien une idée de femme, et s'il n'y avait que ça...

« C'était bien la peine d'inscrire votre numéro de téléphone, il est si facile à retenir... Il est vrai que c'est pratique en cas de perte. Allô, j'ai trouvé votre briquet, vous me donnez combien pour vous le rendre ? Ah, non, c'est pas assez, j'ai un ami qui m'en offre dix fois ça ! Ça évite les malentendus. »

Le silence est retombé. Chimier vient de remettre son briquet dans sa poche lorsque, dans le rétroviseur, il aperçoit deux motards. Un coup d'œil au compteur : 160. Excès de vitesse, c'est lui le « client » à coup sûr. Non sans une certaine satisfaction, il lève le pied. Quelques instants plus tard, un doigt impératif le fait se ranger sur le bord de la route. A peine arrêté, Chimier se tourne vers son passager. Il va lui dire... Mais au fait, qu'est-ce qu'il va lui dire ? Qu'est-ce qu'il va lui reprocher ? D'avoir fait allusion à sa fortune ? On ne peut pas reprocher à quelqu'un de constater qu'il a une grosse voiture, une belle montre et un briquet en or ! Evidemment, il peut dire aux motards qu'il est sorti de prison. Et alors ? Il a payé sa dette à la société. Un homme qui sort de prison est un homme comme tous les autres. Tandis qu'il donne ses papiers, Chimier a beau retourner le problème dans tous les sens, il n'arrive pas à trouver ce qu'il pourrait réellement reprocher à son passager. Une arme dans sa poche ? En a-t-il une réellement ?

Bien sûr, il pourrait dire la vérité : il me fait peur et je n'en veux plus à bord de ma voiture... et le laisser là avec les motards. Mais l'idée que l'homme connaît son nom et son numéro de téléphone, et, partant de là, son adresse, oblige l'automobiliste à renoncer au projet.

Le constat s'achève et l'homme est descendu se dégourdir les jambes. Il engage la conversation avec le second motard. Qu'est-ce qu'il peut bien lui raconter, pense Chimier. Comme le motard qui a dressé le procès-verbal rejoint son collègue, le passager lui pose aussi des questions. A en juger par les gestes qu'ils font, cela a trait aux motos. Dommage qu'elles soient garées en travers sinon Chimier aurait eu l'idée un instant de démarrer et de le laisser là s'expliquer avec les motards. Non, mais c'est un comble ! C'est lui qui maintenant est obligé de l'attendre. Le voilà qui se penche sur la moto et se fait expliquer on ne sait trop quoi, et docilement le motard lui donne la réplique. D'un petit coup d'avertisseur Chimier fait savoir qu'il attend pour partir. C'est le monde à l'envers !

Enfin « Monsieur » daigne regagner la voiture. On rêve ! Et le voyage reprend sans un mot, sans une nouvelle allusion. Un silence lourd et si oppressant que le conducteur allume la radio. Arrivés au bout de l'autoroute, Chimier dit qu'il passe par la porte de Saint-Cloud et qu'il peut le déposer là.

« Non, laissez-moi là, sur le pont de Saint-Cloud. »

Comme le pont est quasi désert, Chimier hésite.

« Là, ça va très bien, merci. »

La voiture s'arrête, l'homme ouvre la portière, descend, et reste là un instant, hésitant :

« Bon, allez, au revoir, monsieur Chimier...

— Au revoir.

— Vous avez eu peur ? »

Comme l'automobiliste va protester, l'homme plonge la main dans sa poche :

« Si, si, vous avez eu peur... Mais tenez, pour vous remettre de vos émotions, je vais vous faire un petit cadeau... »

L'œil de M. Chimier s'est fixé sur cette main qui sort avec difficulté quelque chose de la poche.

Il appuie sur l'accélérateur dans un dernier sursaut de trouille et la voiture bondit en avant. Avec l'élan, la portière s'est refermée toute seule, mais juste avant l'homme a eu le temps de jeter quelque chose sur le siège. M. Chimier s'en moque pas mal, l'essentiel est de mettre le plus d'espace entre cet homme et lui.

Au premier feu rouge après le pont, la voiture s'immobilise. M. Chimier prend sur la banquette ce que l'homme a jeté au moment où il a eu si peur.

C'est le carnet de contraventions du motard, avec le double de son procès-verbal...

34

LA RUMEUR

M. Dreyfus tient un commerce de mode féminine à Orléans. Sa boutique est située dans une rue centrale de la ville, celle, d'ailleurs, où sont regroupés la plupart des magasins d'habillement. Ce M. Dreyfus, qui est israélite, ne s'appelle pas réellement Dreyfus, mais ce nom rappelle une célèbre affaire qui n'est pas sans rapport avec celle-ci. Dreyfus sera donc le nom de ce commerçant, afin de lui permettre un anonymat largement mérité.

Nous sommes à la fin du mois de mai 1969, et M. Dreyfus est préoccupé. Il ne parvient pas à expliquer la baisse brutale, catastrophique même, de son chiffre d'affaires. Cela a commencé il y a quelques semaines et cela continue, en s'accentuant. Le comportement de la clientèle est bizarre. Les acheteuses ont l'air pressé. Elles restent un minimum de temps. Une femme choisissant une robe en cinq minutes, ce n'est déjà pas courant, mais dix, ou vingt, c'est incompréhensible.

Ce soir, comme chaque soir, M. Dreyfus s'apprête à fermer son magasin. Une des vendeuses s'attarde et M. Dreyfus sent qu'elle a quelque chose à lui dire et n'ose pas. M. Dreyfus essaie de la mettre à l'aise, mais elle hésite encore. Il insiste, alors elle se lance, et lui raconte tout : une histoire incroyable, presque inimaginable.

En ville, à Orléans, depuis déjà quelques semaines, on dit que les commerçants juifs de prêt-à-porter se livrent à la traite des blanches. On dit qu'ils capturent leurs clientes dans le salon d'essayage, tout simplement, qu'ils les droguent, les ligotent et les conduisent, par des souterrains secrets, jusqu'à la Loire où les attendent des bateaux. De là, les jeunes femmes sont expédiées au Moyen-Orient ou ailleurs.

Tout cela ne tient pas debout, mais la vendeuse est formelle. C'est ce que l'on raconte dans tout Orléans. Et il n'y a pas d'autre explication à la baisse du chiffre d'affaires et au comportement de la clientèle. Resté seul, M. Dreyfus hausse les épaules. Sa première réaction est de traiter ces absurdités par le mépris.

Mais c'est le lendemain qu'a lieu le premier coup de téléphone. Au bout du fil, une voix d'homme vulgaire et hilare.

« Alors, M'sieu Dreyfus, il paraît que vous avez de la marchandise fraîche ? Ça m'intéresse. Envoyez-m'en cinquante kilos, bien blond, bien rose ! »

274

Et les jours suivants, le téléphone sonne sans arrêt :

« Bonjour, M'sieu Dreyfus. C'est vrai que, pour une robe, vous offrez gratuitement un voyage à Tanger ?...

— Eh, M'sieu Dreyfus, vos p'tites femmes, c'est de la bonne qualité, au moins ?... »

Cette fois, M. Dreyfus a compris. C'est très grave. Il va trouver ses collègues de la rue — la plupart sont juifs, comme lui — et apprend qu'ils sont dans le même cas. Pour eux aussi, ce sont les coups de téléphone anonymes, et les clientes qui entrent terrorisées dans le salon d'essayage. Pourquoi y entrent-elles, d'ailleurs, puisqu'elles n'achètent pas ? Le frisson du soi-disant danger, sans doute.

Alors M. Dreyfus se décide à agir. Il va trouver la police pour porter plainte. Le commissaire qui le reçoit est au courant. Il vient même d'ouvrir un dossier sur l'affaire et il a écrit sur la couverture : « Enlèvements — Dossier bidon ». Car tout cela, bien entendu, est faux, entièrement faux, et il est bien placé pour le savoir. Il se trouve qu'il n'y a pas eu, pendant tout le mois de mai 1969, une seule disparition dans Orléans et sa région. C'est même tout à fait exceptionnel pour une population de plusieurs centaines de milliers d'habitants.

Le commissaire enregistre la plainte de M. Dreyfus, mais avoue son impuissance. Que peut-il faire de cette affaire sans victime et sans coupable, en train de bouleverser la ville ? Ce n'est pas un travail de policier. On ne peut pas arrêter des paroles, passer les menottes à des bruits, mettre en prison une rumeur.

Ce qui est en train de se passer à Orléans, en ce mois de mai 1969, s'appelle une « rumeur ». Et qu'est-ce qu'une « rumeur » ? Quel est ce comportement sorti tout droit du Moyen Age, et qui, pourtant, s'est produit chez nous, dans une grande ville, il y a seulement dix ans ?

Il y eut plusieurs études savantes sur ce que l'on appela « la rumeur d'Orléans ». Elles sont unanimes : ce mensonge incroyable est né spontanément. Il n'a été inventé ni par un farceur, ni par un esprit mal intentionné, ni par un groupement quelconque. Dans l'affaire d'Orléans on n'a pas retrouvé un seul écrit : pas un tract, pas une affiche, pas un article calomnieux, rien. Tout s'est passé en paroles.

Aujourd'hui, on a de bonnes raisons de penser que la rumeur a commencé dans les écoles et les lycées de jeunes filles. Ce sont de douces adolescentes qui ont inventé la rumeur d'Orléans. Certainement sans méchanceté, et sans arrière-pensée. Un jour, une adolescente, peut-être un peu déséquilibrée, a raconté cette histoire à une petite camarade. Une histoire que l'on retrouve d'ailleurs presque textuellement dans tous les pays et à toutes les époques, sans doute parce qu'elle exprime une peur essentiellement féminine : la traite des femmes.

Dans un premier temps, la rumeur d'orléans est donc une pure affabulation de jeunes filles. Et il n'est certainement pas question de juifs à ce moment-là. Puis la rumeur fait son chemin. Elle va chez les uns, chez les autres. Elle grossit, elle se nourrit de ce que chacun y ajoute en la recueillant : ses désirs inassouvis, ses peurs, ses haines, le fond trouble de son être. La rumeur s'emplit peu à peu des déchets affectifs de chacun. C'est facile, et commode ! La rumeur passe et les gens en profitent pour se soulager. La rumeur devient une énorme poubelle où chacun se débarrasse de ses saletés. Bientôt, elle en est pleine, elle est la décharge publique de toute une ville.

« Et vous savez comment ils s'y prenaient, ma bonne dame ?... En leur faisant une piqûre de chloroforme...

— Et ils sont bien organisés, ces gens-là, mon pauvre monsieur. Entre leurs boutiques, il y a tout un réseau de souterrains qui communiquent. C'est ma belle-sœur qui me l'a dit... »

Hier, elles étaient cinq à avoir « disparu », aujourd'hui, elles sont quinze, bientôt elles seront cent... Bientôt ce ne seront plus des coups de téléphone grivois que recevront les commerçants juifs, mais des menaces, en attendant les actes.

Le commissaire avait raison. La police ne peut rien. C'est autrement qu'il faut combattre la rumeur. C'est avec ses propres armes, en faisant plus de bruit qu'elle. Il faut que des gens parlent, expliquent aux autres que ce n'est pas vrai, que tout est faux depuis le début. Et l'action s'organise enfin à Orléans. A la mi-juin se crée un Comité de lutte contre la diffamation. Il réunit des personnalités de toutes origines et de toutes opinions politiques. Le Comité s'adresse aux familles, aux directeurs d'établissements scolaires, aux professeurs, et à tous ceux qui ont un rôle, un pouvoir dans l'opinion. En quinze jours, une campagne de signatures recueille plusieurs milliers de noms.

L'affaire prend maintenant une dimension officielle. Le préfet du Loiret adjure la population de ne pas croire à ces absurdités. Le 4 juillet, le ministre de l'Intérieur, Raymond Marcellin, fait une déclaration dans le même sens.

Et cette fois, la rumeur a vécu. Les commerçants juifs injustement accusés reçoivent des centaines de témoignages de sympathie. L'évêque d'Orléans, Mgr Riobé, aujourd'hui disparu, met le point final à cette affaire, en déclarant :

« Je ne peux pas rester insensible à des faits de ce genre, et qui se produisent dans le diocèse dont j'ai la charge. Je le peux d'autant moins qu'il y a une vingtaine d'années, six millions de juifs ont péri en Europe après une odieuse propagande organisée contre eux, pour la seule raison qu'ils étaient juifs.

« Il n'est pas permis de minimiser ce qui vient de se passer à Orléans. Pour cette raison, ajouter foi à des racontars ignobles comme ceux qui viennent d'être répandus est non seulement un acte antichrétien, mais antihumain... »

Aujourd'hui, M. Dreyfus vit comme tout le monde. Son commerce marche normalement. Alors on peut penser que la rumeur d'Orléans fut un cas aberrant et monstrueux, mais isolé. Et qu'après les déclarations des plus hautes autorités du pays, les gens ont compris. Mais non, pas du tout. La rumeur a la vie dure. Si on la chasse de quelque part, elle reparaît ailleurs.

Quelques mois plus tard seulement, les mêmes bruits se répandent d'une manière tout aussi imprévisible, spontanée et absurde, dans deux autres villes de France : Amiens et Dinan. Là encore, on accuse les commerçants de la ville de se livrer à la traite des Blanches. Et là encore, tout est faux, absolument faux.

Alors, à quand la prochaine ville? A quand la prochaine rumeur? A quand les prochaines victimes?

Un jour, un voisin dit à un autre voisin qui le répète à un autre voisin, ... et les murs deviennent écho, et trompettes de stupidité. La rumeur c'est ça : une trompette de la stupidité humaine.

35

OTTO Ier D'ALBANIE

En ce début de l'année 1913, l'Albanie a un problème bien particulier : elle cherche un roi.

La profession de roi n'est pas une de celles où les créations d'emploi sont les plus fréquentes, mais voilà : l'Albanie s'est soulevée contre l'Empire turc et s'est proclamée royaume indépendant; c'est bien, mais il lui manque un roi.

Alors, le monde se préoccupe de lui en trouver un. A Londres, une conférence se réunit spécialement dans ce but. Les puissances occidentales discutent âprement pour savoir si le prochain souverain sera français, anglais ou allemand. Mais les Albanais, que personne ne songe à consulter, ont eux aussi leur idée. Les Albanais sont musulmans et ils voudraient un roi musulman, ce qui semble logique. Ils voudraient même, précisément, Halim Eddine, le neveu du sultan de Constantinople. Mais va-t-il accepter ? Là est tout le problème. Le général Essad Pacha, qui dirige provisoirement le pays, a fait des avances discrètes par voie diplomatique. Et on attend.

Pendant ce temps, à Tirana, la capitale du pays, un cirque en tournée a installé son chapiteau. Un cirque allemand, plutôt miteux, où se distinguent deux personnages : Otto Witte, le clown, et Max Hoffmann, l'avaleur de sabres. Ensemble, ils ont parcouru toute l'Europe et l'Afrique. Indépendamment de leurs dons artistiques, les deux amis disposent d'un talent plus particulier : celui de l'escroquerie. Et dans ce domaine, ils ont derrière eux un joli palmarès.

A Tirana, Otto Witte et Max Hoffmann font comme tout un chacun : ils lisent les journaux, où s'étale en première page la photo de celui que les Albanais voudraient pour souverain : Halim Eddine. Et ils ont un choc, car Halim Eddine est quasiment le sosie d'Otto Witte. Il lui suffirait de se teindre les cheveux en gris et d'afficher une superbe moustache à la turque, pour que l'illusion soit totale.

Alors, les deux compères prennent une décision folle : celle de s'emparer du trône d'Albanie, tout simplement. Pour cela Otto Witte, qui, entre autres, a le don des langues, apprend en deux mois les rudiments d'albanais nécessaires. Ils se font expédier de Vienne deux costumes d'opéra, l'un de général de fantaisie, l'autre de Turc. Ensuite, ils se rendent à Salonique, en Grèce, pour prendre le bateau qui vient de Constantinople. Ils demandent à un complice de Constantinople d'envoyer aux autorités du pays le télégramme suivant :

« Prince Halim Eddine arrive. »

En Albanie c'est aussitôt l'effervescence. La venue du futur souverain est prévue pour le 10 août 1913. A Durazzo, ce jour-là, la foule est considérable. En voyant de loin le quai noir de monde, les deux complices sont un peu inquiets.

Et pourtant, tout marche. Dès qu'ils apparaissent sur la passerelle, c'est l'enthousiasme le plus complet. Les hommes tirent des coups de feu en l'air, les femmes jettent à pleines poignées des pétales de roses. Car il a fière allure, le futur souverain. Très grand, il marche d'un pas assuré, et porte un gigantesque fez rouge. Il a les cheveux gris, le visage autoritaire. Sa magnifique moustache ajoute encore à son aspect majestueux. Il est en uniforme de général. Sa poitrine est couverte de décorations et barrée d'un éblouissant cordon multicolore, couleur arc-en-ciel. Derrière lui, à trois pas, un Turc se tient à distance respectueuse. Il est reconnaissable à son somptueux habit de soie et à son énorme turban.

Les deux hommes ont à peine mis le pied sur le sol albanais, que le général Essad Pacha, gouverneur provisoire du pays, se précipite à leur rencontre, et se prosterne devant le futur roi. Mais, celui-ci, dans un geste d'une rare noblesse, le relève et lui donne l'accolade.

Le trajet en carrosse jusqu'à Tirana, la capitale, est triomphal. Arrivés au palais, les deux hommes sont respectueusement priés de participer au festin préparé pour eux. Ils font donc honneur aux dix-huit services du repas.

Le soir, enfin seuls dans leurs appartements

privés, ils mettent au point un programme extrêmement simple, sur le plan politique : premièrement, constituer le harem que tout roi musulman
digne de ce nom se doit de posséder; deuxièmement, se faire remettre les clés du trésor albanais.

Le lendemain, dans la grande salle du palais, a
lieu l'entrevue historique. Groupés derrière Essad
Pacha, tous les dignitaires du pays. Le futur souverain fait une entrée très remarquée. Il caresse
longuement sa moustache, son grand cordon multicolore et annonce ses décisions :

« Premièrement, je fixe mon couronnement à
après-demain !

« Deuxièmement, je déclare la guerre au Monténégro. Le général Essad Pacha sera le chef de
nos armées.

« Troisièmement, pour mon harem, je ne veux
pas de princesses étrangères, mais des filles du
peuple incarnant la beauté légendaire des Alba-
naises.

« Enfin, je désire que me soient confiées les
finances du pays afin de récompenser chacun de
vous selon ses mérites. »

C'est du délire. Et lorsque les nouvelles sont
connues de la population, c'est plus extraordinaire encore. Car la déclaration de guerre au
Monténégro est un trait de génie. Depuis des siècles, les Albanais musulmans haïssent conscieuse-
ment leurs voisins monténégrins et catholiques.
Jusqu'à présent, la chétive armée albanaise
n'avait aucune chance contre le Monténégro beaucoup plus puissant. Mais si Halim Eddine, le

neveu du Sultan, leur déclare la guerre, tout est changé. Cela veut dire que la Turquie est derrière lui et qu'il va les battre à plate couture, les écrabouiller, et en faire de la chair à pâté.

Autre idée touchante et généreuse, celle de prendre de simples filles du peuple dans son harem... Halim Eddine, le futur roi, est acclamé sans fin, il a gagné l'admiration populaire.

Le 13 août 1913, c'est l'apothéose, avec le couronnement du premier souverain albanais. Halim Eddine, dans un geste dont les observateurs apprécient la finesse diplomatique, a décidé de se faire sacrer sous un nom occidental : Otto Ier.

Après la cérémonie religieuse dans la grande mosquée, c'est le festin. Un festin mémorable et gigantesque. Des bœufs entiers, des moutons, des cochons de lait rôtissent pour un méchoui sans précédent.

Le roi Otto Ier et son homme de confiance mangent avec un appétit qui ravit les invités. Mais, tout en faisant bombance, le souverain tient à honorer ses nouvelles charges. Et il fait preuve d'un sens politique absolument admirable : il donne de l'or à tout le monde (puisé évidemment sur le trésor albanais.) Même les soldats de sa garde en ont leur part. Dix pièces d'or à chacun.

Exténués, ravis, le roi et son homme de confiance rentrent fort tard dans leurs appartements où une surprise les attend : les vingt-cinq candidates au harem royal sont là, toutes rougissantes, sur les sofas et les coussins de soie.

Otto Ier et son homme de confiance se souviendront longtemps du jour du sacre; ils ne seront pas près d'oublier non plus la nuit qui a suivi.

La constitution du harem royal étant de toute évidence la tâche prioritaire, Sa Majesté Otto Ier fait savoir à Essad Pacha qu'il va désormais s'y consacrer exclusivement. Pour le reste, il lui fait toute confiance, car la constitution d'un harem royal est une chose importante. Aucun souverain au monde n'en laisserait le soin à d'autres que lui-même.

Comme il y a trop de candidates, Max Hoffmann, le Turc, est chargé de la « présélection ». En cas de jugement favorable, la postulante est conduite auprès de Sa Majesté pour y subir la seconde épreuve, dite de « sélection définitive ».

Cela semble incroyable, mais c'est la vérité historique. Pendant deux jours, ou plutôt quarante-huit heures, car les nuits comptent aussi, un clown et un avaleur de sabres obtiennent les faveurs des plus belles filles de tout un pays.

Mais tout a une fin. Dans la nuit du 15 août, Essad Pacha reçoit un télégramme du véritable Halim Eddine, précisant qu'à sa connaissance, il n'a pas été proclamé roi d'Albanie, et qu'il souhaite vivement obtenir des précisions sur ce sultan de pacotille.

Fou de rage, accompagné des gardes royaux, Essad Pacha se précipite dans les appartements d'Otto Ier. Mais Otto Witte et Max Hoffmann ne l'ont pas attendu. Déguisés en femmes, ils ont quitté discrètement le palais. Arrivés à Durazzo, ils n'ont eu aucun mal à convaincre un pêcheur de les emmener en Italie, car ils avaient sur eux une partie du trésor albanais. De quoi dédommager une flottille !

Le trésor a été vite dépensé. Otto Witte et Max Hoffmann ont repris leur place dans un cirque, l'un comme clown, l'autre comme avaleur de sabres. Sans être inquiétés outre mesure. Le monde occidental considéra même leur exploit comme un numéro de cirque exceptionnel.

Pendant longtemps, Otto Witte posa pour les journalistes, dans son grand uniforme d'Otto Ier d'Albanie avec son fez rouge, ses décorations et son grand cordon arc-en-ciel. Avec, en arrière-plan, sa roulotte de clown.

Otto Witte est mort le 13 août 1958, quarante-cinq ans jour pour jour après son couronnement. Clown ou roi, escroc ou dictateur, humoriste ou simplement malin, il avait bien vécu.

36

LES CHEVEUX LONGS

Joël fait une drôle de tête en remontant, à pas rapides, les rues de sa petite ville de province. Il a l'air soucieux et même catastrophé. Tout dans son allure indique le désarroi. Mais les gens qu'il croise n'ont pas l'air d'y attacher beaucoup d'importance. Joël est jeune, il doit avoir dix-huit ans. Et à dix-huit ans, rien n'est sérieux, puisqu'on n'est pas sérieux soi-même.

D'ailleurs Joël se rend chez le coiffeur, pour se faire couper les cheveux... Il n'y a pas là de quoi faire un drame.

Joël a hésité longtemps devant la devanture du coiffeur pour hommes. Il n'est pas un client assidu, et cela fait plus d'un an qu'il n'a pas mis les pieds dans ce salon. Mais depuis tout à l'heure, il a pris sa décision.

Il pousse la porte d'un geste brusque, répond d'un hochement de tête au bonjour que lui adresse le patron et va s'asseoir pour attendre son tour. Joël prend une revue qui traîne sur une petite table et la feuillette sans la lire.

Personne ne peut comprendre l'importance de la résolution qu'il vient de prendre. Il se répète intérieurement les quelques mots qu'il va prononcer tout à l'heure quand il sera installé dans le fauteuil : « la boule à zéro ».

Joël a dix-huit ans. Il a l'allure des garçons de son âge en cette année 1970 : blue-jean, chemisette de couleur, mais surtout des cheveux très longs. De magnifiques cheveux blonds bouclés qui lui tombent sur les épaules. Les adultes n'apprécient pas beaucoup. Dans sa famille, on a trouvé que cette coiffure lui donnait l'air d'une fille, puis on a fini par l'admettre. Après tout, c'est la mode... Aujourd'hui, les jeunes ont les cheveux longs. Cela leur passera, disent les cheveux courts...

Mais ce n'est pas pour une question de mode que Joël s'est laissé, depuis deux ans, pousser les cheveux. Pour lui, c'est beaucoup plus profond que cela. C'était la première affirmation de sa personnalité. Il en était fier. Il en a passé des heures à se peigner et à se regarder dans la glace.

Le coiffeur s'active autour de son client, lui donne un dernier coup de peigne, lui propose de la laque... Dans une minute ou deux, ce sera à lui et il prononcera la phrase fatidique : « la boule à zéro »...

Joël regarde l'homme qui le précède. Il doit avoir une quarantaine d'années. Le coiffeur vient de réaliser sur lui une belle coupe, bien sage et bien conventionnelle, avec un beau dégradé autour des oreilles et de la nuque. Il faut que tout le monde soit pareil. Les longues boucles blondes, cela ne fait pas sérieux, cela fait mauvais genre et mauvais esprit.

Joël débute dans la vie. Il est employé depuis sept mois à l'usine de cartonnerie tout près de chez lui. Et quand on habite une petite ville de province, c'est une véritable chance de trouver un emploi sur place. Alors, pour le conserver, il faut bien faire un sacrifice, même si c'est celui qui vous coûte le plus.

Tout à l'heure, son patron l'a convoqué dans son bureau. Il était très intimidé car c'était la première fois, puis surpris, car il n'était pas seul. Il y avait là trois de ses camarades, trois ouvriers de son âge qui avaient comme lui les cheveux longs.

Leur patron leur a dit en substance :

« Je ne veux pas de hippies chez moi. D'autre part, les cheveux longs, c'est un risque pour la sécurité. Alors, vous vous faites couper les cheveux ou vous êtes renvoyés. »

Joël et les trois autres sont partis sans dire un mot. Il ne sait pas ce qu'ils vont faire, eux, mais lui, il a pris sa décision. Il se plaît à l'usine, et il veut y rester...

C'est vrai que, depuis sept mois, il a trouvé un équilibre...

Jusque-là, pendant toute son enfance et son adolescence, rien n'avait tourné très rond. Il avait toujours eu des difficultés à travailler, à s'adapter, à vivre... Alors, il s'est décidé, il va sacrifier ce qui compte le plus pour lui : sa belle, sa longue chevelure blonde...

Le coiffeur raccompagne son client et se retourne vers lui...

Joël fonce vers le fauteuil tête baissée et prononce la phrase fatidique sans respirer :

« La boule à zéro !... »

Joël coupe court aux protestations du coiffeur, lui demande de faire vite et ce dernier se met à l'œuvre sans plus de commentaires.

En quelques grands coups de ciseaux, les belles boucles blondes sont tombées. Joël en voit une sur son épaule. Elle lui chatouille un peu le menton. Et brutalement, il a l'impression que c'est à une mutilation qu'il vient de se soumettre.

Les ciseaux continuent de couper avec un bruit étouffé, et d'autres boucles tombent.

Avec elles, c'est son enfance qui s'en va, son orgeuil, sa fierté, sa personnalité. Il s'était trompé. Il avait cru qu'il pouvait avoir un signe distinctif, quelque chose qui n'était qu'à lui, mais ce n'était pas possible. Ou plutôt, c'était cela ou devenir un isolé, un exclu. Les adultes ont leurs règles et leurs lois qu'il faut accepter, si l'on veut faire partie du groupe social.

Joël saigne, il a l'impression que c'est dans sa chair que le coiffeur est en train de trancher. Il se regarde dans la glace en face de lui, et se trouve hideux. D'un peigne agile, le coiffeur relève les mèches et les égalise. Il coupe et coupe encore. Bientôt, il sera comme le client précédent, avec un beau dégradé autour des oreilles et sur la nuque. Il ne sera plus Joël. Il n'aura plus d'âge.

292

Le coiffeur donne un dernier coup de peigne et contemple son œuvre d'un coup d'œil professionnel :

« Est-ce que je vous mets de la laque, monsieur ?... »

Joël répond « non » d'une voix étranglée et règle le prix de la coupe : 10 francs... 10 francs pour se mutiler volontairement, pour renoncer à ses rêves, à la seule chose personnelle qu'il avait réussi à imposer aux autres. Sa chevelure, c'était son œuvre, sa première œuvre d'homme. La voilà éparpillée sur le carrelage noir et blanc, elle glisse sous le balai du coiffeur qui la regroupe en petits tas égaux, avant de la faire disparaître d'un geste sûr dans sa poubelle.

Et Joël se retrouve dehors. L'air qui s'engouffre dans la rue lui donne une impression de fraîcheur inattendue. D'un pas rapide, il se dirige vers son usine. Il a pris l'heure du déjeuner pour se faire coiffer, il faut qu'il se dépêche s'il ne veut pas être en retard...

Joël s'efforce de ne pas penser. Sans doute, des idées qui lui sont familières lui reviennent-elles. Des idées noires : le mal de vivre, la difficulté d'être. Il croyait les avoir chassées définitivement, depuis qu'il s'était mis à travailler.

Et voilà qu'en renonçant à sa chevelure, il revient brusquement plusieurs années en arrière. Tout est à recommencer. Mais il le fallait, il n'avait pas le choix.

Joël arrive devant son usine. Il marche aussi vite qu'il peut. Il a peur qu'on lui pose des questions, que ses camarades se moquent de lui ou qu'ils le félicitent de son geste, ce qui serait pire encore. Et brusquement il s'arrête...

Il vient de voir, là, devant lui, les trois autres, les trois ouvriers qui étaient avec lui le matin, dans le bureau du directeur, qui avancent, la tête haute, le sourire aux lèvres. Ils ont toujours les cheveux longs... Ils n'ont pas cédé, eux, ils n'ont pas paniqué, comme lui, à la première remontrance, ils n'ont pas renoncé à leur personnalité.

Ils entrent dans l'usine, sûrs d'eux-mêmes, comme des hommes.

Alors Joël fait demi-tour. Il s'enfuit. Il bouscule la file des ouvriers qui entrent dans l'usine. Ses camarades ne font que l'apercevoir, les mains sur la tête, les yeux hagards, qui court comme un fou, droit devant lui...

L'usine de cartonnerie de la petite ville de province a recommencé à fonctionner après la pause de midi, mais il manque un ouvrier. Son absence a été notée par le contremaître. C'est tout.

Il est trois heures de l'après-midi, quand Joël franchit de nouveau les grilles. A la main, il tient un petit bidon. Ses cheveux blonds, coupés en brosse, le rajeunissent de plusieurs années. C'est un enfant qui avance dans la cour de l'usine et qui vient se poster sous la fenêtre du patron.

C'est un enfant qui ouvre le bidon, s'asperge des pieds à la tête, cherche dans ses poches une allumette et la craque...

Il y a une lueur, un cri horrible. Joël est une torche vivante. De toutes parts, dans l'usine, on se précipite. Mais quand on arrive, il est trop tard. Joël, brûlé sur tout le corps, meurt dans l'ambulance qui le conduit à l'hôpital.

Alors, on a cherché à comprendre, à expliquer. Bien sûr, le geste horrible de Joël était la conséquence d'un déséquilibre nerveux déjà ancien... « On ne se suicide pas pour une coupe de cheveux », ont dit les gens sensés. Les cheveux, ça repousse et la vie continue...

Mais les gens sensés sont aussi les plus oublieux de leur propre jeunesse. Le désarroi, l'humiliation, la honte, quelquefois, c'est insupportable, quand on a dix-huit ans. Et bien des adultes sont morts pour moins que cela.

37

LE BOURGEOIS DE KIEV

Ce qui est arrivé à Piotr Soubarine n'est sûrement pas très moral. Mais qu'y faire? c'est
arrivé...

Et après tout, cela n'a fait de mal à personne
sauf à lui. D'ailleurs, il l'avait cherché.

Piotr Soubarine, du temps des tsars finissants,
dans la grande Russie de 1904, est un affreux
bourgeois de Kiev. Avare comme Harpagon, laid
comme chimère, bourru comme ours, tordu
comme vieux chêne, méchant comme diable et
vieux comme Hérode... Mais riche... comme Crésus.

Piotr Soubarine vient de fêter ses quatre-vingts
printemps. Il est l'unique survivant de sa propre
famille. Maria Ivanovna, son épouse, l'a quitté
depuis 40 ans déjà. Ses deux fils ont péri lors de
combats lointains. Frères et sœurs ne sont plus
de ce monde, et les quelques neveux qui restent
préfèrent ignorer son existence.

Ainsi Piotr Soubarine vit-il abandonné de tous

dans sa maison immense au bord du fleuve Dniepr.

Il possède tant de terres, tant de champs de blé, tant de vergers qu'il passe le plus clair de son temps à comptabiliser les récoltes. Car il n'a confiance en personne. Son intendant est un voleur, les moujiks sont des voleurs, bref tout le monde le vole et tout le monde devrait être battu au moins une fois par jour — c'est la devise de Piotr Soubarine.

Pour l'heure, il marmonne dans sa barbe.

Il y avait là, dans la cave, exactement 40 pots de confitures et 20 de miel, autant de fruits au sirop et le double de raisins à l'eau-de-vie. Or il manque un pot de miel... Dans les couloirs de la vieille maison, les douze serviteurs rasent les murs.

On a déjà vu Piotr Soubarine bastonner tout le monde pour un malheureux hareng disparu et retrouvé. A qui va-t-il s'en prendre cette fois ?

A la nouvelle servante. Une effrontée de seize ans, venue d'une ferme d'Ukraine servir le maître sur l'ordre de son père, en paiement d'une dette.

Koba est culottée comme un page de cour, et renâcle devant les serpillières comme un cheval devant l'obstacle. Elle est arrivée d'hier.

C'est elle que le vieux Piotr interpelle sur les marches de la cave :

« Voleuse... tu as mangé le miel ! Tu nourris ta misérable carcasse à mes dépens... Viens ici que je te batte, allons, viens ici tout de suite ! »

Koba Illianovna redresse son petit nez rond, ses yeux noirs lancent des éclairs, et elle fait non de la tête en secouant ses nattes.

Le vieux grigou ne lui fait pas peur! Comment est-ce possible?

Tout le monde a peur de Piotr Soubarine, de son fouet, de ses coups de botte, Koba non. Et de plus elle discute!

« Je n'ai pas volé ton miel, vieux fou... Je n'en ai pas besoin, j'ai des dents blanches et saines pour croquer les pommes de tes vergers, arracher la viande de tes volailles... Mais je n'ai pas besoin de miel, c'est bon pour les enfants et les petits pères édentés comme toi! »

Dieu du ciel et par toutes les icônes réunies, le vieux Piotr Soubarine en devient rouge de colère! La garce se moque de lui, et il ne peut pas courir après elle avec ses vieilles jambes! La voilà qui s'enfuit en riant bien loin de ses coups.

Et les serviteurs de courber le dos, de baisser la tête au passage du maître furieux qui fait claquer son fouet au hasard des omoplates inclinées sur son passage.

La guerre est déclarée. Et jour après jour le vieux furibond et la jeune narquoise échangent des injures et des vérités bien senties à bonne distance du bâton ou de la taloche.

Piotr Soubarine pourrait renvoyer cette esclave rebelle, il pourrait la livrer à ses moujiks pour une bonne correction, il pourrait la faire mettre en prison, l'enfermer à l'écurie, peut-être même l'expédier en Sibérie... Mais il préfère la bagarre chez lui! Et Koba l'a bien compris. Le vieux s'ennuie sur son tas d'argent solitaire. Cette révolte de palais l'occupe, même si le souffle lui manque parfois, même si la colère l'étouffe et le fait tout violet comme aujourd'hui... à propos d'une chemise.

« Tu l'as déchirée exprès, mauvaise bête ! »

Et Koba lui renvoie la balle avec mépris :

« Vous êtes bien trop avare... Deux chemises seulement pour un homme si riche ! deux chemises qu'il faut laver et relaver sans cesse avec une once de savon maigre et une brosse pelée ! Vous n'avez pas honte ? Ta chemise est usée, Piotr Soubarine, aussi vieille que toi, et tu la porteras trouée car je ne la repriserai pas ! »

C'est vrai qu'il est violet et qu'il étouffe en tendant ses deux mains décharnées, suppliantes :

« Aide-moi, fille du diable, donne-moi à boire !

— Je vous donnerai à boire pour dix roubles, pas moins !

— Tu veux ma mort... je te ferai fouetter jusqu'au sang !

— Mon sang est rouge et vif, il coulera joyeusement au soleil... le tien est noir et mort, il t'étouffera dans l'ombre une nuit sans clair de lune ! »

Quelle poésie dans l'insulte ! Quelle vitalité dans la révolte !

Les domestiques peureux admirent et respectent Koba, mais pour rien au monde ils n'oseraient faire de même. Koba est d'une autre race que la leur. Elle est fière et gaie, et l'humilité n'est pas son fort.

Alors on dit bientôt que le vieux la réclame le soir auprès de lui, pour lui servir la tisane. Et l'on dit bientôt qu'ils se disputent comme au théâtre, et que Koba gagne toujours à la fin du spectacle.

Mais le vieux Piotr, un jour d'hiver, prend froid

de toute sa carcasse et le voilà au lit, enfoui dans sa barbe, toussant et grelottant misérablement. Incapable de tenir tête à Koba. Suppliant qu'elle le laisse en paix, réclamant douceur et silence comme une bénédiction...

Alors Koba, du haut de sa splendeur, négocie le marché :

« Ecoute-moi bien, Piotr Soubarine... Tu vas peut-être mourir. Car les vieux diables comme toi résistent mal à l'hiver. Veux-tu être aimé jusqu'à ton dernier soupir ? Veux-tu être soigné, dorloté, cajolé, veux-tu vivre en paix tes derniers jours en comptant ton argent ? Je surveillerai pour toi les réserves de ta cave, j'irai voir les récoltes, compter les fruits et les arbres. Je prendrai soin des poules et des chevaux, des porcs et du grain... Tu seras riche sans qu'on te vole... veux-tu ? veux-tu ?

— Je n'ai pas confiance en toi.

— Tu n'as pas confiance, Piotr Soubarine ? Tu as raison. Car je ne suis que ta servante. Je peux faire de toi ce que je veux, te voler, t'insulter, t'abandonner, te laisser mourir car je ne te dois rien... Mais si tu m'épouses, Piotr Soubarine... Si tu m'épouses... alors je deviendrai la respectable Koba Soubarine, maîtresse de ces lieux et tu n'auras plus rien à craindre. Je te devrai le respect et l'amour... »

Piotr Soubarine en a la respiration coupée presque définitivement. Il s'en étrangle de rage impuissante...

Comment ose-t-elle, cette souillon ? Cette vermine ? Cette fille de moujik ?

Il en pleurerait... et il enrage de ne pas pouvoir

fouetter, ni même crier, ni même chuchoter son indignation.

Il ne peut que murmurer :

« Non. »

Et dans ce non si faible, on sent toute la haine et le désespoir de Piotr Soubarine. Haine pour cette jeunesse agressive et triomphante qui se moque de lui. Désespoir pour cette vieillesse écœurante qui le cloue sur son lit. Comme il voudrait être jeune, avoir encore cinquante ans, un bon fouet en nerf de bœuf, une voix de stentor et des jambes solides... Pour coincer cette péronnelle, pour lui apprendre l'obéissance et la soumission, pour l'obliger à être esclave.

Mais Piotr Soubarine n'est plus roi en sa demeure. La moindre souillon met son trône en péril...

« Non.

— A ton aise, petit père... et adieu. Que le diable t'accueille en son enfer, toi, ta fortune et tes esclaves... Meurs donc puisque tu le veux. Meurs seul et détesté de tous ! Regarde tes forces s'en aller par tous les pores de ta peau. Regarde-toi pourrir comme un vieil arbre inutile, et regarde autour de toi les vautours. Ils vont venir à l'heure de ta mort... Fédor, Illia, Marsha, Igor et tous les autres, tes serviteurs que tu as bastonnés, piétinés, affamés, terrorisés. Ils t'attendent pour te voler. Adieu, Piotr Soubarine ! »

Et dans une envolée de sa jupe effrangée, Koba Illianovna disparaît en riant.

Deux jours passent, puis trois, et la semaine, et le vieux Piotr Soubarine marmonne dans sa barbe grise et sale, sous son bonnet de coton. Il ne dort pas tranquille. Il ne meurt pas tranquille.

Sous le matelas, les roubles font une petite montagne bien tentante. Le bouillon du soir sent le poison. Il entend des pas et des rires de la cave au grenier. Les vautours sont là... ils guettent...

Alors, dans un ultime effort et une ultime colère, Piotr Soubarine envoie chercher la servante indigne, il commande le pope, et réclame en mariage Koba Illianovna.

Koba se fait attendre, un jour, et une longue nuit d'angoisse. Elle examine le contrat avec soin, réclame une bague au meilleur orfèvre de Kiev, prend le temps d'amidonner ses jupons et de tresser ses cheveux en couronne. Puis il lui faut un châle de Cachemire, et des souliers français. Enfin la voilà prête.

« Piotr Soubarine, acceptes-tu cette femme pour épouse ? »

Il a dit oui comme si on lui tranchait la gorge...

« Koba Illianovna, acceptes-tu cet homme pour époux ? »

Elle a dit oui comme si tous les printemps et tous les étés de la terre éclataient en même temps de toutes les fleurs et de toutes les moissons...

Puis elle a renvoyé l'officiant sans le moindre kopeck pour sa peine, et jeté dehors le notaire...

Puis, comme la nuit tombait, elle a regardé son vieux mari tout neuf :

« Meurs donc à présent, Piotr Soubarine... Meurs tranquille... je vivrai pour toi ! »

Et Piotr Soubarine a rendu son âme à qui voulait la prendre. Le soleil était rouge au bas de l'horizon. Et déjà Koba Illianovna comptait les roubles, les confitures et les bouteilles...

Tandis qu'à nouveau les serviteurs courbaient l'échine...

Plus pour longtemps. 1905 était l'aube de la révolution...

DEMAIN IL FERA JOUR

1945. L'enfer de feu et d'acier déferle sur une armée allemande en pleine déroute. La folie hitlérienne touche à sa fin. A l'est et à l'ouest, la Wehrmacht est refoulée sur ses derniers retranchements. Non loin de Dantzig, qui fut à l'origine de ce conflit titanesque, six soldats allemands battent en retraite, depuis des jours et des jours. Ils sont exténués.

Ils sont coupés de leur unité, l'Armée Rouge les talonne, et ils n'ont plus d'espoir. Ils savent que c'est fichu. Ils ne se font plus d'illusions, la guerre est perdue et s'ils se battent encore, c'est plus par habitude que par conviction. Pour le moment, leur unique préoccupation c'est de dormir, de trouver un endroit pour se reposer.

Justement, voici un bunker de béton providentiel. Là au moins ils seront à l'abri. Quelques heures de sommeil et demain ils se rendront. Que pourraient-ils faire d'autre ?

Le petit groupe descend les marches. Il n'y a

plus personne dans le bunker, il a été déserté. L'escalier est long, et n'en finit pas. Au fur et à mesure qu'ils descendent, le bruit de la bataille s'estompe, et quand ils débouchent dans la première salle, un calme absolu règne dans les lieux.

Dans un coin du bunker, il y a des paquets énormes constitués par un stock de capotes militaires. Sans rien ôter de leurs affaires, sans même avoir la force de retirer leurs bottes, les six hommes s'écroulent sur ce matelas improvisé, et à peine allongés, ils dorment.

Il n'y a pas 30 secondes qu'ils ont sombré dans le sommeil qu'une formidable déflagration les secoue, tandis qu'une bouffée d'air chaud envahit le bunker. Le bloc de béton se met à trembler et un instant ils ont l'impression que tout va s'écrouler sur eux.

Et puis le silence retombe, lourd, pesant, comme la poussière qui a envahi la pièce. Bombardement? Autodestruction?... Comme la lumière s'est éteinte, l'un des hommes, l'adjudant Sauer, allume son briquet. « On est peut-être coupés de l'extérieur? Il faudrait aller voir. »

Mais autour de lui, plus rien ne bouge déjà. Le sommeil est pour le moment le bien le plus précieux et ses compagnons se sont écroulés de nouveau. Alors, estimant à son tour qu'au point où ils en sont, rien n'est plus important que de dormir, l'adjudant Sauer éteint son briquet.

Lorsqu'il se réveille, Sauer sent une grande agitation régner autour de lui. Trois de ses camarades sont allés repérer les issues, et ce qu'il craignait est arrivé.

D'énormes blocs obstruent l'escalier. Sur des mètres, tout n'est qu'éboulis de béton dans un chaos de ferrailles tordues.

Par bonheur, entre deux blocs de béton, un air relativement frais leur arrive, sorte de ventilation providentielle qui se fraie un passage dans le labyrinthe des éboulis.

L'inventaire des lieux leur réserve une agréable surprise. Dans une salle à côté se trouvent des milliers de caisses de conserves de toutes sortes, des caisses de biscuits, des tonnes de farine, des tonneaux de vin, des fûts d'alcool, et, bien sans doute le plus précieux, des milliers de bougies et des allumettes.

Les premiers moments de découragement passés, sous la conduite de l'adjudant Sauer, les six emmurés s'installent. Les piles de capotes grises et vertes fournissent des lits. Un tas de vêtements, une caisse de biscuits et une bougie deviennent une chambre dans laquelle chacun s'isole lorsque le soir est annoncé. Car dans cette obscurité totale, il est impossible de distinguer le jour de la nuit.

L'adjudant Sauer a choisi une porte en fer pour tracer au crayon un calendrier, une case pour le jour, une case pour la nuit. Au départ, il n'a prévu qu'une dizaine de cases, estimant que d'ici quelques jours une équipe de secouristes s'inquiétera de savoir s'il n'y a pas de rescapé dans le bunker.

Pour signaler leur présence, à tour de rôle, un des six va se placer à plat ventre près des failles, là où l'air frais fait osciller la flamme des bougies, et crie de toutes ses forces. Ce signal sonore a été prévu et fonctionne de 8 heures du matin à 8 heures du soir. Toutes les 15 secondes, un hurlement lugubre se répercute sous la paroi de béton. Quelqu'un va bien finir par les entendre.

Ce que les emmurés ne savent pas, c'est que l'équipe d'artificiers chargée de miner le bunker a été faite prisonnière et a fait son rapport aux autorités russes. Le bunker est vide, tous ses occupants ont été évacués. De plus, cette zone militaire se situant à l'écart de la zone urbaine, les autorités locales ont d'autres préoccupations que de déblayer ce tas inextricable de béton chaotique. Mieux, étant donné le danger que représentent ces ruines remplies d'engins explosifs, un cordon de fil de fer barbelé entoure la zone dangereuse, dans laquelle, d'ailleurs, personne n'oserait s'aventurer.

Et les jours, et les semaines passent.

En bas, sous la chape de béton, les six hommes ont perdu peu à peu l'espoir d'être secourus. C'était tout de suite ou... beaucoup plus tard. Si quelqu'un les avait vus entrer, l'alerte aurait été donnée depuis longtemps. Or maintenant, il n'y a aucune raison pour qu'on les recherche.

Six hommes disparus dans cet enfer, qu'est-ce que c'est ? Rien. Très vite, deux des hommes refusent leur tour de crier, estimant que ça ne sert à rien. Sauer tente bien d'user de son autorité, mais au fond de lui-même, il n'est pas loin de partager leurs doutes. Alors on cesse de crier au secours, et un silence pesant retombe sur les emmurés vivants.

L'adjudant a réussi malgré tout à imposer une

certaine règle de vie. En ce qui concerne la nourriture, le matin à 8 heures, à midi et le soir à 7 heures, les 6 hommes s'assoient autour d'un tas de caisses sur lesquelles on a allumé des bougies, et mangent en commun. La parole est donnée à l'un d'eux qui raconte sa vie en commençant par le plus lointain de ses souvenirs. Tour à tour chacun des assistants a le droit de poser des questions auxquelles le conteur doit répondre. Entre les heures de repas, Sauer organise des promenades selon un tracé tortueux, balisé avec des bougies. Après les exercices physiques, obligatoires, il y a le jeu. L'un des hommes possédait un dé, un autre un jeu de cartes. Sauer organise chaque jour un tournoi à l'issue duquel les gagnants reçoivent des cigarettes qu'ils vont fumer lentement près du sol, là où l'air circule encore.

La salle la plus lointaine a été réservée aux besoins naturels, que l'on recouvre de farine. Sauer a réussi à imposer une certaine discipline élémentaire que les six hommes respectent, sachant très bien que ces petites contingences sont indispensables à leur survie.

Et les semaines passent. Un air plus doux qui transpire à travers le béton leur annonce que le printemps est arrivé au-dessus de leur tête. Voilà maintenant quarante-huit jours qu'ils sont isolés du monde. Et le premier drame éclate, soudain, imprévisible, atroce...

L'un des hommes devient fou. Il pousse un hurlement horrible, et avant que l'on ait pu faire un geste, il se tranche la gorge. Les autres assistent à son agonie, sans rien pouvoir faire. Alors, on va l'enterrer dans la salle du fond, sous un tas de farine que l'on tasse sur son corps.

Et les mois s'écoulent. Un des cinq survivants tombe malade, il souffre horriblement du ventre et les autres vont assister à une agonie qui va durer trois semaines. Trois semaines dans la puanteur qui se dégage de son corps. On l'enterre aussi dans la farine. Plus que quatre...

Au deux cent quarante-sixième jour, Sauer trace une nouvelle croix sur le calendrier qu'il continue à tenir sur une autre porte, et puis très vite une quatrième... Ils ne sont plus que deux. Deux fantômes barbus et hirsutes, qui font les gestes automatiques de survie, afin de ne pas sombrer dans le néant. Ils se lèvent toujours à heure fixe, font leur marche, mangent des conserves, boivent leur vin aigre, échangent des phrases sans doute pour s'assurer qu'ils ont toujours des oreilles pour entendre et une bouche pour parler. Malgré les prévisions optimistes qu'il a faites, Sauer sait qu'ils vont manquer de bougies...

Voilà maintenant cinq ans qu'ils sont emmurés vivants. Cinq ans, et la dernière bougie s'éteint, et quelques semaines plus tard, la dernière allumette s'éteint à son tour. Alors la vie va continuer dans le noir absolu, à l'exception des chiffres phosphorescents de la montre de Sauer, qui, grâce au ciel, ne le lâche pas.

A tâtons Sauer va forcer son compagnon à se lever, à marcher, à manger, à parler. Ce qu'ils espèrent, ils ne le savent même plus. Le temps n'a plus d'importance pour eux. Ce sont deux bêtes qui font les mêmes gestes, accomplissent les mêmes rites, comme des automates, disent les mêmes mots pour se prouver qu'ils existent encore. Et puis, un jour, des bruits, des explosions, et puis des bruits se rapprochent et il y a une nouvelle explosion. Par une fissure dans la paroi apparaît la lueur qui les aveugle... c'est le jour... Alors ils se lèvent et sortent en titubant, aveuglés par la lumière du jour.

Voilà six ans qu'ils vivent sous terre, cinq ans à la lueur des bougies, un an dans les ténèbres les plus complètes... et tout à coup, les voici projetés dans la clarté solaire. Comme des automates ils avancent en respirant cet air vif qui leur brûle les poumons.

Et les ouvriers polonais qui ont la tâche de démolir ce qui reste du bunker voient arriver ces deux fantômes, dont la barbe et les cheveux tombent jusqu'aux cuisses, ils voient sortir du néant ces deux naufragés de la terre et de la guerre, qui s'immobilisent, hagards, effrayants...

L'un d'eux porte la main à sa poitrine, ouvre la bouche et tombe mort, foudroyé par l'émotion.

L'autre vivra, il s'appelle Sauer, c'est le rescapé des ténèbres.

39

IL ÉTAIT UNE JEUNE FILLE

CE qui est arrivé à Hélène Gillet est d'une violence presque insoutenable.

Mais il y a des violences dont il faut parler, parce qu'elles sont exemplaires et nous mettent face à nous-mêmes. Face à ce que nous sommes depuis la nuit des temps : des êtres qui tentent maladroitement de définir justice et société, homme et femme, bien ou mal.

Hélène a dix-neuf ans. C'est une jeune fille de bonne famille dont l'éducation fut ce qu'elle devait être : sage et conforme à celle de sa race.

On a appris à Hélène qu'elle était une femme, qu'elle devait obéissance à son père, et qu'elle devrait un jour obéissance à son mari. On lui a appris aussi que n'étant qu'une femme elle n'avait pas tous les droits, mais qu'elle possédait, surtout, celui de se taire. Que les activistes féminines ne sursautent pas, ceci se passe en un temps où la femme dispose à peu près des mêmes libertés qu'un chien de chasse.

C'est un jour d'été dans la campagne de Bourg-en-Bresse. Hélène se promène sur le chemin communal qui borde la propriété de son père. Sa robe est fraîche, son teint aussi, et c'est d'un pas tranquille qu'elle croise un homme à un carrefour.

Elle ne fait pas attention au visage du promeneur, il lui semble avoir entre quarante et cinquante ans, ce qui est vieux pour elle. Il n'est pas très attrayant, en tout cas, et elle n'a aucune raison de faire attention à lui.

C'est un homme qui se promène comme elle en toute liberté sur son chemin.

Mais l'homme s'arrête, en plein milieu et il lui barre la route. Alors Hélène tente de passer de côté sans trop regarder l'homme. Mieux vaut faire vite quand un passant devient galant, se fait insistant. Et l'homme est galant, plus que galant : prétentieux. Sûr de son droit d'homme sur la femme qui passe.

Il est bien vêtu, et ce n'est ni un clochard, ni un malade mental, ni un assassin, ni un faible d'esprit. Mais il fait le beau, et il se croit beau. En tout cas il se sait fort. Car au moment où Hélène tente de le dépasser, il se retourne d'un mouvement désinvolte et lui attrape le bras. La courte lutte qui s'engage alors est désespérément classique. Hélène supplie l'homme de la laisser tranquille, et plus elle supplie, plus il se moque d'elle. Plus elle se débat, plus il lui serre le bras.

Lorsque Hélène a l'audace de crier sur le chemin pourtant désert, l'homme la gifle. Chez lui, cet homme dont l'histoire ne retiendra pas le nom est honorablement connu, chez lui, cet homme est peut-être un mari ou un père de famille. Si l'on traitait une femme de chez lui comme il traite Hélène, il ne le supporterait pas. Il tuerait peut-être.

Mais là, sur ce chemin désert, c'est autre chose. Frapper lui semble une manière efficace et simple de clore la discussion. Car il veut cette femme et même si elle ne le veut pas, il l'aura. L'impudente n'avait qu'à rester chez elle. On ne sort pas de sa maison quand on est si jolie. On ne se promène pas seule sur un petit chemin, c'est une provocation. Il y a des règles comme à la chasse. C'est ce que pense l'homme, comment ne pas massacrer un gibier qui aurait la bêtise de vous passer devant le nez?

Quelque temps plus tard, le chemin est redevenu désert.

Dans la poussière d'été, un observateur attentif pourrait relever des traces de pas qui mènent jusqu'au petit bois.

Et c'est là, dans le petit bois, qu'Hélène reprend conscience. Elle réalise parfaitement, en quelques secondes, ce qui lui est arrivé.

L'homme a simplement pris la précaution de l'assommer pour qu'elle ne crie plus.

C'est la honte pour Hélène Gillet, fille d'un honorable bourgeois de la ville, haut fonctionnaire et qui espérait la marier le plus richement possible.

Là encore, que les féministes ne protestent pas.

Nous sommes en un temps où le mariage d'une fille est le seul destin possible.

Hélène est cependant courageuse. Après avoir remis de l'ordre dans sa tête, soigné son visage meurtri, elle rentre à petits pas au domicile paternel.

On s'affole en voyant sa mine mais elle raconte mi-pleurant mi-riant qu'elle a voulu grimper sur un petit mur et qu'elle est tombée. On la croit. On la croit car Hélène est une fille sage, honnête et droite, qui ne ment jamais. Seule la honte peut l'amener à dissimuler une chose si grave.

Tellement grave que quelques mois plus tard, alors qu'Hélène vient de fêter ses vingt ans, l'affreuse chose devient évidente, Hélène est enceinte.

Que faire? Tout avouer? Impossible, il est trop tard, personne ne la croira plus, et cette fois sa vie serait définitivement fichue. Personne n'admettra qu'elle s'est tue par peur du « qu'en-dira-t-on ». A ce stade, le « qu'en-dira-t-on » s'inverse et dit : « elle n'avait qu'à le dire, si elle ne l'a pas dit c'est qu'elle était complice ». Alors, à qui demander du secours dans cette ville guindée, où elle deviendrait rapidement la risée de tous si elle avait un enfant et pas de mari?

Dans son affolement, Hélène s'adresse à une femme que l'on dit de mauvaise vie et qui connaît, qui « sait », qui « fera ce qu'il faut », moyennant de l'argent, beaucoup d'argent.

Hélène rassemble ses petits trésors, quelques bijoux, un peu d'argent, et la voilà humiliée pour le reste de sa vie, torturée, malade, et puis dénoncée.

Dénoncée parce qu'elle n'a pas payé assez, qu'elle est trop riche et trop jolie. Dénoncée et traînée devant le tribunal, le grand tribunal de Dijon en terre de France, qui juge les grands criminels. Là où les hommes sentencieux et méprisants étalent sa faute au grand jour.

Il y a là les bourgeoises et les commères, les nobles et les princes. Tout un monde de justiciers qui s'apprête à la condamner, et qui la condamne... à mort.

A mort ? Mais à quelle époque sommes-nous ? En 1614, il est temps de le préciser.

Jusqu'ici l'histoire d'Hélène Gillet était d'une banalité qui rappelait peut-être des temps moins anciens. Où tout pouvait se dérouler de la même façon, sauf la mort.

C'était une raison de raconter l'histoire d'Hélène Gillet. Et il y en a une autre, c'est la fin de cette histoire, telle qu'elle est écrite dans un vieux livre de droit, édité en 1829 d'après les archives de l'époque, par maître Peignot, avocat près la cour de Dijon :

« Hélène Gillet, fille du gouverneur royal du château de Bourg-en-Bresse, fut donc condamnée à la peine capitale.

« Le bourreau chargé de lui trancher la tête la frappa à deux reprises de sa hache, sans arriver à lui donner la mort. Et abandonna à sa propre femme le soin de l'achever.

« La femme de l'exécuteur la traîna dans un coin de l'échafaud et avec une corde qu'elle lui passa au cou, s'efforça de l'achever, soit en lui serrant le cou, soit en lui pressant l'estomac avec le pied.

« Puis, voyant ses efforts inutiles, elle prit ses ciseaux et en porta plusieurs coups à la poitrine et au visage de la victime qu'elle finit par traîner avec la corde dans la chapelle située à côté de l'échafaud. A la vue de cet horrible spectacle, le peuple se précipita et arracha la malheureuse Hélène des mains de celle qui la torturait.

« Graciée par Louis XIII, Hélène survécut à ses blessures miraculeusement, et alla terminer ses jours dans un couvent, où elle eut l'insigne honneur de voir sa condamnation abolie par lettres royales. »

Ainsi Hélène Gillet fut-elle sauvée de la mort par un peuple qui voulait la voir mourir, et de la honte par un roi qui voulait la condamner.

Sur le seul personnage de cette jeune fille de vingt ans se trouvent rassemblés trois problèmes qui tracassent encore notre société moderne : viol, avortement, et peine de mort.

C'est ainsi qu'elle entra dans l'histoire judiciaire de notre pays. C'était en 1604. En 1980, le viol est encore un fléau social, il provoque encore l'avortement et, sans que la justice intervienne, parfois la mort.

40

LE RAT SUR LE PIANO

Ce qui arrive ce jour-là ressemble à une fable de La Fontaine.

Il y a là un écrivain qui écrit à sa table dans son grenier, et un rat debout sur un piano.

L'un et l'autre se regardent.

L'écrivain se dit : « Voyons, d'où vient ce rat ? Ce n'est pas un rat d'égout puisque je suis dans le grenier... C'est un rat tout de même mais de quelle origine ? »

L'animal ne bouge pas plus qu'une pierre ; assis, droit sur le piano, le nez aux aguets, il observe l'écrivain en silence.

Peut-être se pose-t-il la même question : « Tiens, d'où vient cet homme ? et pourquoi ne bouge-t-il pas ? C'est un homme de grenier... bizarre. »

L'écrivain se dit qu'il n'a pas peur des rats, et c'est pourtant la première fois qu'il en rencontre un. Beaucoup de gens ont peur des rats. Et si la femme de l'écrivain était là, elle hurlerait.

Ce rat a dû venir par l'escalier de la cour, et il

devait loger dans la vieille maison que l'on a démolie à côté. Il y vivait tranquille et voilà qu'on l'a délogé. Peut-être vient-il aussi du grand champ de l'autre côté de la route, mais que viendrait-il faire dans ce grenier s'il était sauvage ?

L'écrivain risque un geste d'amitié. Il tend la main, et siffle doucement. L'autre le regarde, et fait un léger bond en arrière, moustaches frémissantes. L'écrivain ne bouge plus :

« Bon... Bon... tu as peur de moi, c'est normal, mais moi je n'ai pas peur de toi... J'aimerais te parler ou que l'on soit copains. »

Pascal, l'écrivain, se dit qu'il est complètement idiot de parler ainsi à haute voix à un rat qui ne lui a rien demandé.

Puis il glisse lentement la main vers ses dictionnaires, il veut savoir à quelle race appartient son visiteur. Rat ou mulot ? Museau des villes ou museau des champs ? L'autre ne bouge pas, mais ses petits yeux vifs attendent, méfiants, le résultat de cet étrange manège.

Le volume est sur la table, c'est une grande encyclopédie, qui fait un bruit terrible dans le silence, à la moindre page tournée. Et pfuit... le rat est parti. Volatilisé. Par où ? Il semble qu'il se soit réfugié à l'intérieur du piano, pour l'instant. Mais on n'entend aucun bruit.

Seul à présent, Pascal feuillette sans crainte l'énorme dictionnaire. Son visiteur est un gros mulot...

Le voilà fort bien décrit sur le papier. Son pelage est fauve un peu jaunâtre, plus ou moins vif sur le dessus, et blanc en dessous.

C'est lui, c'est le visiteur. Les oreilles sont très grandes, noires aux extrémités, la queue est velue, noire dessus, blanche dessous. Pieds blancs, museau pointu et portant moustache blanche...

Le mot mulot vient du sanskrit « Mushi », qui veut dire « Voleur ». Mushi... c'est joli pour un voleur...

En levant le nez, Pascal aperçoit de nouveau son visiteur assis sur le piano. Alors, à voix basse, et regardant le mulot bien droit dans les yeux, Pascal dit :

« Mulot, je te baptise Mushi. Fais de ce piano ta demeure, tu ne me gêneras pas, et lui non plus, il y a longtemps qu'il ne marche plus. »

Le lendemain de cette visite, Pascal regagne son grenier, le seul endroit où il se sente bien pour écrire. C'est un vrai grenier, un grenier comme les brocanteurs rêvent d'en déménager un tous les matins. Il sent la poussière, le renfermé et la vieille cire. Pascal dépose sur le piano un magnifique morceau de gruyère. Cela fait, il s'assoit et attend. Mais le piano déglingué et son trésor de nourriture restent déserts. Alors Pascal se met à travailler. Et à peine entend-on le crissement de la plume sur le papier que le petit bruit se manifeste. Un léger grincement dans le vieux bois.

Mushi est là, le ventre aplati sur le dessus du piano, le museau tendu; méfiant, il renifle du bout de ses longues moustaches le festin proposé.

Cela dure... dure... Et en l'espace d'une demi-seconde, il attrape le morceau de fromage et s'enfuit comme un voleur.

Pascal sort de sa poche un quignon de pain, et le dépose au même endroit. Une demi-heure environ plus tard, Mushi émerge pour s'approcher du pain, toutes ses moustaches vibrent de délectation.

Alors, avant qu'il ne le vole, Pascal chuchote : « Mushi, tu n'as pas besoin de te sauver, ce pain est pour toi, tu peux le manger sur le piano, et le piano est à toi aussi, c'est ton territoire, je ne le prendrai pas, je te le jure. »

Mushi s'est assis sur son arrière-train, et a dressé les oreilles, apeuré. Mais il ne bouge pas. Alors, profitant de son avantage, Pascal glisse doucement sa main vers le piano à un mètre de lui, et dépose délicatement, à côté du pain, une cerise.

La cerise tournicote un peu devant Mushi, puis s'immobilise devant lui; il n'a pas eu un geste de recul.

Il y a un long silence. Puis Mushi attrape la cerise. Il la renifle, toujours méfiant, puis se décide à la grignoter avec délicatesse, en ne laissant que le noyau et la queue. Pascal a ri et légèrement bougé, alors Mushi se sauve à nouveau, comme un voleur, en emportant le quignon de pain.

Au fil des jours, le rat et l'écrivain deviennent ainsi de bons amis, chacun restant sur ses positions. Pascal à son bureau, Mushi sur le piano. Mais Mushi casse la croûte sans complexe devant son colocataire. Pascal lui amène du riz, des fruits, du fromage et même du lait. Mushi est le mulot le mieux nourri depuis des siècles.

A force de patience et de douceur, Pascal est arrivé à lui donner à manger de la main à la patte, si l'on peut dire, à condition que cela se passe sur le dessus du piano. Le vieux piano est réellement le territoire de Mushi, et il semble qu'il ne faille pas en changer.

Il y a bientôt trois mois que le grenier abrite l'amitié silencieuse du rat et de l'écrivain lorsqu'un grand cri manque de tout gâcher.

Elisabeth, la femme de Pascal, a osé pénétrer dans le grenier. Elle a vu le rat, assis sur le piano et grignotant une pêche avec désinvolture. Elisabeth a failli s'évanouir et Mushi s'est sauvé, abandonnant son dessert.

Comme la plupart des femmes, il faut bien le dire, Elisabeth ne supporte pas tout ce qui ressemble de près ou de loin à un rat. Or Mushi le mulot y ressemble de loin.

Et la voilà qui veut nettoyer, désinfecter, dératiser... Tous les grands mots !

Pascal lui explique calmement la situation. Il insiste sur le fait que Mushi n'est pas un rat, même s'il en a l'air et l'intelligence. Mushi est un mulot de la plus belle espèce, il n'est pas sale, ne veut de mal à personne, il s'est réfugié ici, il a fait confiance à Pascal, ils sont amis, il faut comprendre !

Mais Elisabeth se sauve du grenier, elle ne veut pas savoir, et la guerre du rat va commencer. Tout d'abord, et pour avoir l'air aussi calée sur les mulots que son mari, elle cite Buffon :

« Les mulots se mangent entre eux...

— Comme les hommes, réplique Pascal, chacun à sa manière sans plus.

— Oui, mais Buffon en a mis douze dans un bocal, il les a laissés sans manger, et les mulots se sont dévorés entre eux, en commençant par la cervelle ! »

Pascal sourit :

« La cervelle est le morceau le plus tendre, c'est bien connu, et les premiers hommes faisaient la même chose... »

Elisabeth furieuse, et son Buffon sous le bras, repart en affirmant que le mulot peut infester des régions entières, qu'il répand une mauvaise odeur, qu'il est d'un naturel méchant, puisqu'il mange même les oiseaux tombés du nid !

Elisabeth partie, Mushi regagne le piano, et Pascal reprend son travail. Sornettes que tout cela... Mushi est un copain. Plus qu'un copain même pour Pascal, étonné d'être l'ami de ce mulot au point de lui gratter le dos de temps en temps.

Après six mois de coexistence pacifique entre Elisabeth et le grenier, c'est l'ultimatum. Cette fois la jeune femme emploie les grands moyens, et ils sont presque déloyaux à force d'être convaincants.

Elle va accoucher, dans une semaine ou deux maintenant. Elle ne peut pas supporter la présence d'un rat dans la maison. Elle en fait déjà des cauchemars et ne répond pas des nerfs du futur bébé.

Et puis, lorsque sera né cet enfant, Elisabeth ne

pourra pas vivre avec ce rat dans la maison. C'est sale, et c'est... c'est impossible.

Voilà. Il faut le tuer. Mushi est devenu son idée fixe. Une idée de laideur dans le rose et le blanc du futur nouveau-né.

Alors Pascal baisse les bras. Mais comment tuer Mushi sans le torturer? Il ne pourra pas. Il ne pourra pas tordre le cou à son copain qui vient renifler ses pages d'écriture comme pour donner son avis, il ne pourra pas!

Mais Elisabeth a tout prévu, avec l'aide du pharmacien. Voici un joli morceau de gruyère, à l'intérieur duquel se trouve un soupçon de strychnine. Il n'aura pas le temps de souffrir, le pharmacien l'a promis.

Alors, le lendemain, Pascal regagne son grenier, tenant son fromage empoisonné sur un papier d'argent. La mort dans l'âme, il le fait rouler sur le piano... sans le toucher.

Puis il s'assoit pour travailler. Mais il ne travaille pas, il attend. Mushi arrive un moment plus tard et rampe tranquillement vers son petit déjeuner. Pascal le regarde... Mushi s'arrête à un centimètre du cube de gruyère. Il le renifle... Il en fait le tour une fois, deux fois, trois fois, s'immobilise devant le piège, le regarde avec circonspection; assis sur son derrière, les deux pattes pendantes, il a vraiment l'air de réfléchir.

Pascal retient son souffle. Il regarde Mushi, Mushi le regarde, l'ami regarde l'ami, et cela dure...

Mushi regarde vraiment Pascal dans le blanc

des yeux, il s'avance même jusqu'au bord du piano. Est-ce un mulot regardant un écrivain ?

Est-ce un ennemi regardant un autre ennemi ?

Est-ce une victime regardant son assassin ?

Pascal ne dit rien, il a honte. Mushi regarde une dernière fois le gruyère, puis tourne le dos et disparaît.

On ne le revit plus jamais.

41

RAZZIA SUR LE POIL

C'est au matin du mercredi 23 avril 1938 qu'un
cri énorme retentit dans les couloirs du manoir
des Mac Redford, en Ecosse. Le cri est si puissant
que le lustre de cristal pendu dans le grand escalier en a tinté et que les oiseaux se sont arrêtés de
chanter, sidérés par cette concurrence déloyale.

Le responsable de ce cri s'appelle Sir Yonnel
Mac Redford. Il est écarlate et s'accroche en titubant à la rampe de fer forgé. Un nouveau son
rauque sort péniblement de sa gorge :

« Qui a osé!... »

De tous côtés les portes s'ouvrent :

« Qui a osé! » répète Sir Yonnel, qui semble
avoir du mal à respirer.

Les yeux agrandis de peur, la famille entière se
demande quel crime odieux a pu mettre le
patriarche dans un tel état. Alors dans un souffle
on entend :

« Le bonnet à poil de grand-père Reginald a
disparu...»

Le bonnet à poil de grand-père Reginald fait partie du glorieux patrimoine des Mac Redford. Il était présent à Waterloo! Il était aussi sur le crâne de Reginald Mac Redford lorsque celui-ci eut le bras droit arraché par un boulet français. Des témoins oculaires ont même vu Reginald se relever et aller prendre, de la main gauche, le sabre que sa main droite, projetée à quelques pas de là, tenait toujours.

Un tel bonnet, venant d'un tel homme, est un trophée précieux. Or ce matin-là, en passant dans le couloir pour descendre prendre son petit déjeuner, Sir Yonnel Mac Redford a constaté que la vitrine était entrouverte et que le bonnet à poil avait disparu. Questionnés, la famille et le personnel restent sans voix. Personne n'a touché à la précieuse relique. D'ailleurs pour en faire quoi? Un vieux bonnet à poil n'a aucune valeur, ni commerciale, ni utilitaire. Ce qui, tout naturellement, amène Mac Redford à penser qu'il s'agit là d'un vol destiné à humilier sa famille. Et sa voix tonne à nouveau :

« Le voleur a lancé un défi qu'un Mac Redford doit relever, ou mourir de honte. J'en appelle à tous ceux qui se sentent solidaires de notre sang! »

Hélas, le lendemain matin, toute la famille réunie autour du petit déjeuner n'a rien de neuf, car rien n'est venu éclaircir le mystère du bonnet à poil. Le déjeuner terminé, tout le monde quitte la salle à manger et Elisabeth, la femme de Sir Yonnel, attire à l'écart Mary, la bonne. D'une voix où perce un soupçon d'espoir, elle demande :

« Vous avez bien pris le ramasse-miettes pour le nettoyer ? »

La tête ahurie de Mary est une réponse en soi. Non, elle n'a pas pris le ramasse-miettes, il doit se trouver comme d'habitude dans le grand argentier d'acajou. Comme Miss Mac Redford dit qu'elle ne l'a pas vu, par acquit de conscience, Mary regarde à nouveau et doit très vite se rendre à l'évidence; le grand ramasse-miettes en forme de faucille, d'époque élisabéthaine, a disparu.

Pour les Mac Redford, c'est un nouveau coup dur. Le grand ramasse-miettes avec sa pelle en argent massif avait été offert pour le mariage des grands-parents Charles et Catherine par la reine Victoria en personne. Le patriarche réunit toute la famille dans le grand salon des trophées, et, retrouvant la verve qui le rendit célèbre au temps de la guerre des Boers, s'adresse à ses troupes :

« Je jure que d'ici dimanche, j'aurai confondu le coupable ou alors je ne m'appelle plus Mac Redford. »

S'étant ainsi fixé une limite, Sir Yonnel Mac Redford commence son enquête. Et il s'avère très vite que le voleur ne s'est pas limité aux seules pièces spectaculaires dont la disparition a bouleversé la vie du manoir.

Chacun a pu constater de petites disparitions, si anodines que personne n'en avait parlé : la brosse à habits pendue près du portemanteau dans l'entrée, le balai de soie du grand vestibule du second... la balayette de la grande cheminée...

C'est en écrivant sur la liste le mot « bonnet à

poil » que Sir Yonnel Mac Redford a la révélation :

« Mais, ma parole, nous avons affaire à un maniaque du poil ! »

En effet cette constatation, qui n'était pas évidente a priori, devient flagrante lorsqu'on fait le rapprochement entre tous les objets disparus. Tous avaient du poil. Le voleur est un voleur d'objets à poil.

A quoi peut-il bien employer ces poils ? La solution du mystère se trouve derrière ce point d'interrogation. Il est évident que le coupable n'a pas choisi ces objets par simple hasard. En questionnant encore et toujours, de droite et de gauche, le patriarche apprend que depuis plusieurs semaines d'autres choses ont disparu, tout aussi mystérieusement : la chaîne du vieux puits, un banc dans la buanderie, la manivelle du store de la terrasse avec la tringle la prolongeant, deux vieilles roues de bicyclette, deux petites roues du landau de poupées de grand-mère Mary. Bref, toute une série d'objets hétéroclites qui, cette fois, n'ont rien à voir avec les poils.

Se déguisant pour la circonstance en Sherlock Holmes, Sir Yonnel Mac Redford entreprend de visiter la propriété pièce par pièce, et placard par placard. De la cave au grenier, le manoir est passé au peigne fin sans qu'aucun des objets disparus ne soit retrouvé. Georges, le fils aîné, se fait alors le porte-parole de tous en posant la question que tous les Mac Redford présents ont sur les lèvres :

« Alors ? »

Sir Yonnel Mac Redford lève un œil bleu

faïence par-dessus sa tasse de thé en porcelaine de Chine :

« Alors rien ! »

Le patriarche avoue n'avoir rien trouvé dans le manoir, mais il se propose de fouiller les dépendances extérieures dans la journée. En quittant la salle à manger, le vieil homme sent une petite main se glisser dans la sienne, tandis qu'une voix fluette s'élève vers lui :

« Je vais t'aider, grand-père ! »

C'est Thomas, le dernier de la lignée, sept ans. On peut être détective en activité tout en conservant son cœur de grand-père. Emu par ce geste spontané, Yonnel accepte et pendant que l'aïeul fouille les rez-de-chaussée, Thomas grimpe aux échelles et visite les greniers. Vers midi, les deux Mac Redford échangent une dernière fois les résultats :

« Alors ?

— Rien, et toi ?

— Moi non plus. »

C'est l'échec sur toute la ligne. « Le voleur a dû emporter ses larcins en dehors de la propriété », conclut l'aïeul, et le déjeuner se passe dans une ambiance catastrophique. Sir Yonnel Mac Redford touche à peine aux plats. L'après-midi, il reste prostré dans son fauteuil et Mary s'inquiète, car il a de la fièvre. A l'heure du thé, la famille réunie dans le grand salon s'interroge sur l'état de santé du patriarche qui a pris cette histoire trop à cœur. En voulant pincer le voleur avant dimanche, il s'est engagé sur l'honneur. Or, l'honneur des Mac Redford est une chose très impor-

tante pour lui. Trop. Et à son âge, c'est dange-
reux. Son vieux cœur pourrait ne pas y résister.
Quelqu'un dit même à haute voix :

« Il est bien capable d'en mourir. Le bonnet à
poil du grand-père Reginald était un symbole
pour lui. »

Alors, dans un coin près de la cheminée, la
petite voix de Thomas se fait entendre :

« Je ne veux pas que mon grand-père meure ! »

Et l'enfant s'enfuit, sans doute pour cacher ses
larmes. En fait, Thomas se précipite dans le
bureau où l'ancêtre couve sa déconvenue :

« Viens, grand-père, je sais où sont les
brosses ! »

L'aïeul regarde avec surprise la petite main qui
l'invite à se lever, et l'enfant répète :

« Allez, viens avec moi, je ne veux pas que tu
meures, viens... »

Sans chercher à comprendre, le vieil homme se
lève et suit l'enfant. Main dans la main, ils sortent du manoir et se dirigent vers l'écurie.

« Tu les as vus, et tu ne me l'as pas dit ? Pourquoi ? questionne le grand-père.

— Parce que les chats en ont besoin !

— Les chats ! Qu'est-ce que les chats ont à voir
là-dedans ? bougonne le vieillard.

— Tu vas voir ! »

Et de fait, Sir Yonnel Mac Redford voit. Ou
plutôt ce qu'il découvre dépasse tellement l'imagination qu'il est obligé de s'appuyer pour ne pas
tomber. Une sorte de gros manchon en grillage,
terminé par deux roues de vélo, est suspendu par
des chaises à deux autres roues plus petites fixées

aux poutres du plafond. Le grillage est garni à l'intérieur des diverses brosses, balais, ramasse-miettes et autres bonnets garnis de poils. Le manchon est traversé en son milieu par un long banc et, en tournant la manivelle du store, le manchon tourne sur lui-même.

La machine est si extraordinaire que l'ancêtre en oublie le véritable motif de ses recherches.

« Qu'est-ce que c'est, ça ? »

L'œil de Thomas s'illumine de fierté.

« Une machine à caresser les chats !

— Une machine à caresser les chats ?

— Mais oui, il y a quelques semaines, grand-mère Mary m'a emmené chez Mrs Beckett qui reçoit tous les chats perdus du comté, et Mrs Beckett disait que ce qui leur manquait le plus, ce n'était pas le manger, mais les caresses. Alors, voilà, j'ai pensé qu'avec ça, en les faisant rentrer par un bout et en les faisant ressortir de l'autre, ils en auraient, des caresses... C'est bien, hein ? »

Le vieux cœur de Sir Yonnel Mac Redford se gonfle de tendresse. Comme par enchantement, sa colère et sa fatigue ont disparu. Tandis que son petit-fils tourne la manivelle et que les poils défilent autour du banc, une immense fierté l'envahit : avoir un tel inventeur parmi ses descendants est un réconfort. Avant de retourner au manoir, le grand-père demande simplement l'autorisation de récupérer le bonnet à poil du grand-père Reginald et le ramasse-miettes.

« Tu comprends, fiston, j'ai juré qu'ils seraient

à leur place dimanche matin, mais sois tranquille, je te donnerai quelques balais en échange. »

Et le lendemain, lorsque Sir Yonnel Mac Redford fait son entrée dans la salle à manger, il adresse un coup d'œil complice à Thomas, auquel il a promis formellement la veille au soir de venir chaque jour pour l'aider à faire tourner la machine à caresser les chats, et de s'arranger pour ne pas mourir de si tôt.

42

LE VINGT-TROISIÈME JOUEUR

Avril 1954 : le Venezuela vit des heures sombres. Depuis un an, il y sévit une dictature implacable. Ce pays en a déjà beaucoup connu dans son histoire, mais celle de Perez Jimenez est plus sanglante encore que les précédentes. Les prisons sont pleines et les exécutions sont devenues de la routine.

Malgré tout, le pays continue à vivre. Les gens ont leurs problèmes quotidiens, leurs passions. Et, au premier rang d'entre elles, la plus violente, la plus profondément enracinée : le football. Au Venezuela, comme dans toute l'Amérique du Sud, le football est bien autre chose qu'un sport, c'est une fête, une cérémonie, une religion. Les émeutes sur les stades font souvent des victimes.

C'est donc là et non ailleurs que devait se dérouler cette partie de football d'avril 1954. Une partie hallucinante où il y avait, en plus des deux équipes de onze joueurs, un équipier supplémentaire : la mort.

La prison de Caracas dresse ses murailles sinistres un peu à l'extérieur de la ville. Depuis le coup d'Etat de Perez Jimenez, on y a installé des miradors, on a surélevé les murs avec des rouleaux de fil de fer barbelé, ce qui lui donne un aspect plus hideux encore. De temps en temps, le lourd portail s'entrouvre pour laisser passage à un camion militaire qui amène son contingent de prisonniers. Une ou deux fois par jour, un camion bâché, plus discret, sort du bâtiment. Il emporte les corps des exécutés que l'on vient de fusiller. Ils seront inhumés dans un endroit retiré et discret.

Le directeur de la centrale de Caracas, Miguel Braga, n'est pas l'homme sanguinaire que l'on pourrait imaginer. En fait, ce n'est qu'un fonctionnaire. Une suite de hasards l'a amené à faire carrière dans le personnel pénitentiaire. Et c'était bien avant la dictature de Jimenez. A la prise du pouvoir, la première idée de Miguel Braga fut de remettre sa démission. Mais démissionner en de pareilles circonstances, c'était la mort assurée : Miguel Braga, s'il n'est pas sanguinaire, n'est pas non plus un héros.

Alors il s'acquitte de ses fonctions en se persuadant qu'il ne fait qu'obéir aux ordres, et il s'efforce de traiter humainement ses prisonniers.

C'est lui, en particulier, qui a pris l'initiative d'organiser des rencontres de football dans la cour de la prison. Elles opposent régulièrement les détenus à leurs gardiens.

Dans cet univers clos où la mort est quotidienne, où un détenu qui entre ne sait pas s'il ne sera pas fusillé le lendemain, ces matchs sont comme des moments de grâce et d'oubli. Les prisonniers qui ne jouent pas regardent à travers les barreaux de leur cellule. Les gardiens sont dans la cour, tout autour du terrain. Pendant quatre-vingt-dix minutes, tous vibrent ensemble. Ils ont les mêmes cris d'enthousiasme ou de réprobation au même moment.

Dans l'équipe des prisonniers, il se trouve qu'il y a une vedette, une étoile. Cela n'a d'ailleurs rien d'étonnant puisqu'il s'agit d'un vrai professionnel.

Pourquoi José Campos, le gardien de but de l'équipe du Sporting de Caracas, a-t-il été arrêté et conduit à la prison de la ville? Personne ne pourrait le dire, peut-être même pas lui.

Mais en tout cas, grâce à José Campos, l'équipe des prisonniers a gagné tous ses matchs. Ses arrêts spectaculaires font chaque fois l'admiration de tous, détenus et gardiens confondus.

Nous sommes le 11 avril 1954, et demain, c'est dimanche. Et demain doit avoir lieu une rencontre beaucoup plus importante que les autres. Les prisonniers affronteront une équipe composée non seulement de gardiens, mais renforcée par les meilleurs éléments de toute la police de Caracas. Le directeur, Miguel Braga, a eu du mal à organiser ce match. Mais même en pleine dictature, tout est possible quand il s'agit de football, en Amérique du Sud.

Depuis plusieurs jours, les détenus sont fébriles. Cette partie, pour eux, c'est un peu un symbole. Ils vont affronter les représentants de ceux qui les oppriment, qui les martyrisent. Et même s'ils doivent rester des années encore en prison, même s'ils doivent mourir demain, ils les auront battus au football. Car, avec José Campos dans les buts, ils sont sûrs de la victoire...

Dans son bureau, ce jour-là, Miguel Braga reçoit un télégramme. Il vient du chef de la police. Le directeur fait la grimace. Il sait par avance ce qu'il contient : un ordre d'exécution. Mais tout de suite, après l'avoir ouvert, il pâlit. Le texte est bref, trois mots :

« Fusillez José Campos. »

Miguel Braga tourne et retourne le papier bleu dans ses mains. Ce n'est pas possible, pas lui, pas José Campos !

José Campos a vingt-deux ans. Le directeur en a fait fusiller de plus jeunes que lui et tout aussi innocents. Mais un footballeur de sa classe, et aujourd'hui... ce n'est pas la même chose. Comme tous les Vénézuéliens, il ne peut s'empêcher de le considérer comme une sorte de héros, presque un demi-dieu.

« Fusillez José Campos » : l'ordre sec du chef de la police est là, sur le bureau. Il faut l'exécuter, la veille du match. Le directeur arpente nerveusement son bureau.

Et brusquement, il prend une décision. Il va faire quelque chose... C'est peu, mais il doit bien cela à José Campos. Quelques minutes plus tard, deux hommes sont en face de lui dans la pièce : un prisonnier et un gardien. Ce sont les deux capitaines des équipes de football. Ils sont un peu

338

décontenancés devant cette convocation qui sort de l'ordinaire. Le directeur les regarde quelques instants et il annonce d'une voix blême :

« Je dois fusiller José Campos. »

Il y a un long silence. Les deux hommes en face de lui se regardent. Ils sont aussi émus l'un que l'autre. Le directeur reprend la parole :

« J'ai décidé que l'exécution aurait lieu après le match, tout de suite après. Je voudrais que vous m'aidiez pour que cette partie soit réussie, digne de lui. Et je voudrais surtout qu'à aucun moment il ne se doute de quelque chose. »

Il y a encore un silence, et le prisonnier déclare :

« Nous gagnerons... Pour Campos. »

Le lendemain, dimanche, le match doit commencer à deux heures de l'après-midi. Mais depuis une heure au moins, l'effervescence est à son comble dans la prison. Sur toute la façade qui donne sur la cour, les détenus sont collés aux barreaux des fenêtres. Ils crient, ils chantent. Cela fait si longtemps qu'ils attendent ce jour.

En bas, dans la cour, des gardiens et des policiers sont venus pour encourager l'autre équipe. Plus les minutes passent, plus la tension monte. Et à deux heures précises, les joueurs arrivent. Aussitôt, du fond de toutes les cellules, une formidable ovation retentit. C'est une explosion, un rugissement. Ce n'est qu'après un certain temps que l'on peut comprendre les deux syllabes scandées par les détenus :

« CAM-POS !... CAM-POS !... »

Sur le terrain, les joueurs ne partagent pas l'excitation générale. Eux, ils sont tendus, graves. Seul, José Campos semble parfaitement à l'aise. Il trottine à petites foulées. Il fait des exercices d'assouplissement. Il sourit de toutes ses dents blanches. Il adresse en direction de la façade de la prison un petit signe de la main qui fait redoubler les ovations.

Ses camarades de jeu le regardent, et puis détournent les yeux en s'essuyant la figure d'un revers de la manche. Ses adversaires, eux, évitent de regarder dans sa direction.

Les deux équipes ont pris place. José Campos sautille devant ses buts improvisés et le directeur de la prison, qui tient le rôle d'arbitre, siffle le coup d'envoi.

Alors, sous les hurlements du public, commence un match pathétique. Dès le début, l'équipe des prisonniers bouscule celle des gardiens et des policiers. Sur leurs traits se lit une détermination farouche, implacable. Chacun d'eux se répète intérieurement : « Pour Campos... Il faut marquer pour Campos... Il faut gagner pour Campos... »

Leurs adversaires savent parfaitement à quoi ils pensent. Et ils ne peuvent s'empêcher d'être mal à l'aise, troublés. Ils multiplient les maladresses. Sous les clameurs qui descendent des cellules, ils sont pressés devant leurs buts. Ils dégagent le ballon n'importe comment. Mais les détenus récupèrent et reviennent à la charge. C'est un affrontement sauvage, total. Et enfin, les prisonniers marquent, ils marquent, ils marquent encore... A chaque fois, tout seul à l'autre bout du terrain, José Campos a applaudi comme un enfant à l'exploit de ses camarades.

Quand Miguel Braga, l'arbitre, siffle la mi-temps, les prisonniers mènent par trois à zéro.

Au repos, José Campos, qui continue à s'échauffer car il n'a pratiquement rien eu à faire jusque-là, voit ses équipiers discuter entre eux. Il est trop loin pour entendre ce qu'ils disent. Ils parlent à voix basse.

« Il fallait qu'on gagne pour José. Mais jusqu'ici, il a à peine touché la balle. Alors, maintenant, il faut mal jouer. Il faut que ce soit lui qui rattrape nos erreurs, qu'il fasse le plus beau match de sa vie. »

La partie reprend. Et les prisonniers, derrière les barreaux de leurs cellules, n'y comprennent rien. Tout a brusquement changé. Maintenant, c'est leur équipe qui est bousculée sur ses buts et les autres qui se ruent à l'assaut.

Voilà un des adversaires qui file avec la balle. Il passe un, deux joueurs... Mais que font les défenseurs ? Pourquoi ne l'attaquent-ils pas ? Il va marquer... Mais, non, dans un plongeon à couper le souffle, José Campos vient de lui prendre la balle dans les pieds. Alors, c'est une clameur plus assourdissante que celle qui a salué les trois buts. Les prisonniers ont retrouvé leur idole. Campos vient de les sauver. Et c'est le même cri qui reprend, scandé par les gamelles d'aluminium cognant sur les barreaux :

« CAMPOS !... CAMPOS !... »

Campos est partout présent. Son équipe est dominée, mais il multiplie les arrêts, tous plus miraculeux les uns que les autres. Pas une seule fois les gardiens ne peuvent marquer. Chaque fois, il se relève couvert de poussière, le ballon collé à la poitrine.

Il sourit. Jamais, peut-être, même avec les professionnels, il n'a fait un aussi beau match.

Le directeur siffle la fin de la partie. Aussitôt, une douzaine d'hommes en armes envahissent le terrain. José Campos est encore dans l'exaltation du match. Il ne se rend pas compte qu'ils se dirigent vers lui... Au tout dernier moment, il comprend enfin. Il a un regard infiniment étonné.

Tous les prisonniers vénézuéliens de cette année-là s'en souviennent encore aujourd'hui.

José Campos a été fusillé sur la ligne de but. La partie était terminée.

43

TOUR EIFFEL A VENDRE

Victor Lustig lit son journal d'un air morose, ce 6 juillet 1925, dans la luxueuse chambre qu'il occupe à l'hôtel Crillon. Victor Lustig est incontestablement un bel homme. A 35 ans, il est plus séduisant que jamais. Grand, élégant, avec quelque chose de discrètement aristocratique, c'est le type même du gentleman. Ce qui ne l'empêche pas d'être morose.

En fait, ce qui le préoccupe, c'est l'état de ses finances. Il est venu en France pour dépenser agréablement l'argent qu'il avait gagné de l'autre côté de l'Atlantique. Mais le Paris des Années Folles est encore plus dispendieux qu'il ne l'avait imaginé : les spectacles, les cabarets, les restaurants de luxe, les femmes faciles mais chères... C'est ainsi que sans s'en rendre compte, il se retrouve sans un sou en poche.

Victor Lustig pousse un soupir. Pour terminer son séjour et payer son retour, le voilà forcé de reprendre un travail. Voilà pourquoi il lit si attentivement le journal. Il y cherche une idée, l'inspiration. Mais il ne cherche pas dans la colonne des offres d'emploi.

Car le métier de Victor Lustig, qui lui a déjà rapporté la fortune, est un peu particulier. Lustig est un escroc. Mais un escroc pas comme les autres. S'il a pu, depuis quinze ans déjà, opérer en toute impunité, c'est qu'il s'est fixé un principe et l'a toujours observé : placer sa victime dans une situation tellement ridicule ou déshonorante qu'elle ne puisse pas porter plainte.

Victor Lustig poursuit sa lecture méticuleusement. Soudain en page intérieure d'un quotidien du soir, une nouvelle attire son attention : « La Ville de Paris va-t-elle pouvoir payer les réparations nécessaires à la tour Eiffel ? » Suivent diverses considérations techniques. Et l'auteur de l'article conclut sur cette phrase en forme de boutade : « Devra-t-on vendre la tour Eiffel ? »

Victor Lustig quitte son fauteuil pour arpenter sa chambre de long en large. Il fait monter une bouteille de champagne et en boit deux coupes d'un trait. Dans son esprit, tout est maintenant parfaitement clair. Le journaliste avait cru plaisanter et faire un bon mot : eh bien, lui, Lustig, va le prendre à la lettre. Il a enfin trouvé la grande idée qu'il cherchait pour financer son séjour à Paris : Vendre la tour Eiffel !

Comment s'y prend-on pour vendre la tour Eiffel ? Evidemment, pour le commun des mortels, la réponse à cette question n'est pas évidente. Mais pour Victor Lustig, elle le devient.

Il choisit la manière la plus directe. Par un

faussaire de ses amis, il fait fabriquer du papier officiel à en-tête de la Ville de Paris. Puis il convoque tout simplement les cinq plus gros ferrailleurs de France pour une « affaire de la plus haute importance et strictement confidentielle ».

Quelques jours plus tard, et à l'heure dite, ils sont là, tous les cinq, dans un salon de l'hôtel. Plutôt nerveux, les ferrailleurs. Ils se connaissent entre eux, bien entendu. Et ils comprennent que si on les a réunis, c'est que l'affaire est vraiment sérieuse. C'est dans un silence glacial qu'ils attendent l'arrivée de celui qui les a convoqués. De temps en temps ils échangent un sourire crispé, se grattent le nez, toussent discrètement, chacun essayant d'afficher pour les autres un air faussement dégagé.

Enfin, Victor Lustig fait son entrée. Il est vêtu avec raffinement : redingote, cravate claire, œillet à la boutonnière. Jamais il n'a été si imposant. Et avant même qu'il n'ait prononcé un mot, les ferrailleurs sentent qu'il va se passer quelque chose d'extraordinaire.

Victor Lustig prend place dans un fauteuil, promène un regard circulaire sur ses interlocuteurs... en ménageant ses effets. Puis il parle à voix basse, bien qu'ils soient seuls dans ce salon particulier. « Messieurs, vous n'ignorez pas les difficultés que la Ville de Paris rencontre en ce moment avec le plus illustre et le plus prestigieux de ses monuments. Je veux parler de la tour Eiffel. »

Les cinq ferrailleurs, immobiles sur leur siège, attendent la suite. La voix de Lustig est si confidentielle qu'elle en est à peine audible :

« A la demande expresse du Président de la République et du Président du Conseil, je vous prie de garder le secret sur ce qui va suivre. Messieurs... la tour Eiffel est à vendre. La Ville de Paris m'en a nommé adjudicateur. Une affaire exceptionnelle : 7000 tonnes d'acier au plus offrant. »

Dans le salon particulier, on entendrait voler une mouche. Victor Lustig a un léger sourire. Tout en parlant, il a examiné soigneusement chacun de ses interlocuteurs. Sa psychologie ne le trompe jamais. Il sait déjà lequel d'entre eux est le plus crédule.

C'est le petit homme rougeaud qui s'agite en ce moment sur sa chaise. Comme pour les autres, Lustig s'est soigneusement renseigné sur son compte. Il s'appelle Poisson. Un nom prédestiné, facile à ferrer. C'est un nouveau riche qui a fait fortune rapidement et ne demande qu'à s'enrichir plus encore, par tous les moyens.

Dès ce moment, la conviction de Victor Lustig est faite : M. Poisson sera sa victime. Il peut maintenant passer au second acte. Il se lève et consulte sa montre de gousset.

« Messieurs, si vous voulez bien monter dans ma voiture. Je suis habilité à vous faire visiter l'objet du marché. Je vous demanderai, bien entendu, une totale discrétion durant cette visite. »

Quelques minutes plus tard, Victor Lustig arrêta sa luxueuse limousine de location sous un pilier de la Tour. Il sait qu'il joue gros. C'est maintenant que tout va se décider. S'il tombe sur un employé soupçonneux ou mal luné, il couchera ce soir en prison. Mais il ne faut pas y penser et comme chaque fois dans ces cas-là, faire preuve de la seule arme efficace : le culot.

Suivi de ses cinq ferrailleurs, Victor Lustig ignore superbement la queue des touristes et va directement au guichet. D'un geste négligent, il met sous les yeux de l'employé une carte barrée de tricolore et lance d'un ton sans réplique :

« Ces cinq messieurs m'accompagnent. »

Lustig, dans sa redingote, est l'image de l'autorité officielle. Le fonctionnaire subjugué les laisse passer tous les six. Si les ferrailleurs avaient eu des doutes, maintenant, ils doivent se rendre à l'évidence : cet homme est bien chargé par le gouvernement de vendre la tour Eiffel.

Alors, commence, sur le plus célèbre monument parisien, une visite sans précédent. Les cinq hommes, totalement indifférents aux beautés du paysage, montent et descendent les escaliers, se penchent au-dessus des balustrades. Ils estiment l'état de l'acier, supputent la qualité de la peinture antirouille, palpent les poutrelles, tâtent les boulons. Ils examinent la tour Eiffel comme un maquignon examine un cheval sur un champ de foire.

Et tout le monde se sépare enchanté. Victor Lustig demande à chacun de lui envoyer ses propositions et il attend. En fait, il attend uniquement la lettre de M. Poisson. Les autres, il ne les lit même pas. Quand il l'a enfin reçue, il convoque le personnage à l'hôtel Crillon.

Lustig est tout à fait rassuré en retrouvant sa

future victime. Il ne s'était pas trompé. Le ferrailleur est plus rouge, plus ému, plus excité que jamais.

En grand seigneur qu'il est, Victor Lustig trouve les mots pour le mettre à l'aise.

« Cher Monsieur, la somme que vous m'avez proposée est, je ne vous le cache pas, la plus élevée. Et en plus, vous m'êtes sympathique. »

Le petit homme s'agite de plus en plus sur sa chaise. Il desserre son faux col pour respirer. « C'est pas vrai... C'est trop beau... Les 7 000 tonnes d'acier les plus prestigieuses du monde sont à moi... A moi tout seul ! »

Victor continue, cette fois, sur le ton de la complicité.

« Vous n'ignorez pas, cher Monsieur Poisson, que dans ce genre d'affaire, il est d'usage de donner une commission à l'intermédiaire. »

Non, le ferrailleur ne l'ignore pas. Il bondit de son siège. Il ouvre son portefeuille, sort une liasse de billets.

« J'avais préparé ceci pour vous. J'ai pensé qu'une somme de 100 000 francs... »

Victor Lustig ne répond pas. Il empoche les billets avec un sourire approbateur. Il tape sur l'épaule de son interlocuteur avec une familiarité de bon ton.

« Félicitations, Monsieur Poisson, la tour Eiffel est à vous. »

Le lendemain, Victor Lustig a quitté Paris. Lorsque le malheureux ferrailleur se rend compte qu'il a été roulé, il ne lui reste que ses larmes pour pleurer. Comment avouer à un commissaire de police qu'un escroc vous a vendu la tour Eiffel et qu'on a été assez bête pour le croire ? Comment affirmer devant le Tout-Paris : « Je suis l'homme le plus riche et le plus imbécile du monde, admirez-moi, contemplez-moi... j'ai acheté la tour Eiffel à un inconnu ! »

Encore une fois, Victor Lustig avait magistralement appliqué son principe : faire en sorte que sa victime ne puisse pas porter plainte. Victor Lustig a continué sa carrière pendant encore près de dix ans. Jusqu'au jour où il a commis sa première et dernière erreur. En volant bêtement et banalement de l'argent, par amour, pour plaire à une maîtresse dont il était follement épris.

L'amour est l'escroquerie la plus dangereuse du monde dans certains cas. Et Lustig a fini ses jours en prison. Sur les murs de sa cellule, il avait épinglé une carte postale toute simple, comme on en trouve des milliers et des milliers : la tour Eiffel dans un beau ciel bleu. Au-dessous, il avait écrit de sa main : « Vendue 100 000 francs ». Une consolation tout de même.

TABLE DES MATIÈRES

IMPRIMÉ EN FRANCE PAR BRODARD ET TAUPIN
7, bd Romain-Rolland - Montrouge - Usine de La Flèche.
LIBRAIRIE GÉNÉRALE FRANÇAISE - 14, rue de l'Ancienne-Comédie - Paris.

ISBN : 2 - 253 - 03083 - X   ◈ 30/5717/1